Two
lo

SV

Band 495 der Bibliothek Suhrkamp

Thomas Bernhard
Die Berühmten

Suhrkamp Verlag

Erste Auflage 1976
© Suhrkamp Verlag Frankfurt am Main 1976
Alle Rechte vorbehalten, insbesondere das der Aufführung
durch Berufs- und Laienbühnen, des öffentlichen Vortrags, der Verfilmung
und Übertragung durch Rundfunk und Fernsehen,
auch einzelner Abschnitte. Das Recht der Aufführung oder Sendung
ist nur vom Suhrkamp Verlag Frankfurt am Main zu erwerben.
Den Bühnen und Vereinen gegenüber als Manuskript gedruckt.
Druck: Nomos Verlagsgesellschaft, Baden-Baden
Printed in Germany

Die Berühmten

BASSIST

Ich habe alles erreicht
ich habe alle großen Partien
an allen großen Opernhäusern gesungen
Den Ochs unter Kleiber
mit der Schwarzkopf als Marschallin

Die Puppen

RICHARD MAYR
RICHARD TAUBER
LOTTE LEHMANN
ALEXANDER MOISSI
HELENE THIMIG
MAX REINHARDT
ARTURO TOSCANINI
ELLY NEY
SAMUEL FISCHER

Die Schauspieler

BASSIST, *ein Baron*
TENOR
SOPRANISTIN
SCHAUSPIELER
SCHAUSPIELERIN
REGISSEUR
KAPELLMEISTER
PIANISTIN
VERLEGER
ERSTER DIENER
ZWEITER DIENER

Sommersitz des Bassisten

ERSTES VORSPIEL
Die Perfidie der Künstler

Kalte weiße Halle
Alle, jeweils ein Schauspieler und das dazugehörige
Vorbild als Puppe, bis auf die Sopranistin, deren
Sessel neben der Lotte Lehmann leer ist, um einen
großen runden Tisch sitzend, gebratene Fasane und
Enten essend und trinkend
Erster Diener links, zweiter Diener rechts servie-
rend
Ein Bösendorferflügel
Eine Standuhr
Lautes Gelächter, wenn der Vorhang aufgeht,
dann

BASSIST
> Kopfüber
> kopfüber

KAPELLMEISTER
> Kopfüber

ALLE DURCHEINANDER
> Kopfüber

VERLEGER
> Kopfüber

BASSIST
> In den Orchestergraben

SCHAUSPIELER UND SCHAUSPIELERIN
> Kopfüber

Bassist läßt sich vom ersten Diener
einschenken
In dem Augenblick
in welchem er den Taktstock hebt
kopfüber

SCHAUSPIELERIN UND PIANISTIN
Kopfüber

BASSIST
Und ausgerechnet
Falstaff
Stellen Sie sich vor
Falstaff
Alle lachen laut auf
Falstaff
kopfüber in den Orchestergraben
Das war das Ende seiner Karriere
natürlich

ERSTER DIENER *zum Bassisten*
Kann noch gegeben werden Herr Baron

BASSIST
Aber natürlich
selbstverständlich
selbstverständlich
Die Diener servieren
noch einmal
Fasanen- und Entenbraten
Das war das Ende seiner Karriere
natürlich
Eine Begabung erster Klasse

die sich nicht durchsetzen konnte

KAPELLMEISTER

Eine unerhörte Begabung

VERLEGER

Ein wahrer Künstler

REGISSEUR

Aber ein Unglücksrabe

BASSIST

Ein Unglücksrabe
wahrhaftig ein Unglücksrabe

KAPELLMEISTER

Und ein ehrenwerter Mann
ehrenwert

REGISSEUR

ehrenwert

BASSIST

durchaus ehrenwert

TENOR

Lebenslänglicher Diabetiker

BASSIST

Das kommt noch dazu
daß er lebenslänglich Diabetiker gewesen ist
Eine Unglücksnatur
ausgesprochen eine Unglücksnatur
schaut auf die Uhr
Die liebe Gundi
hebt sein Glas
und läßt sich vom ersten Diener
einschenken

und ich
haben unter ihm
Maskenball einstudiert
Maskenball stellen Sie sich vor
unter ihm
in Antwerpen
Das letztemal habe ich unter ihm
in Glyndebourne gesungen
eine verunglückte Vorstellung
nimmt sich ein großes Fasanenstück
Der alte Klemperer
hat von ihm gesagt
er sei so musikalisch wie eine Milchkuh
trinkt
eine Milchkuh
Das war das letztemal
daß ich Schuricht gesehen habe
Ebert das letztemal
Auch eine Unglücksnatur wie unser lieber Freund
Siebenunddreißig
der Höhepunkt

KAPELLMEISTER

Der absolute Höhepunkt

REGISSEUR

Ebert Schuricht Busch Kleiber Klemperer
Das ist durchaus unwiederholbar
zur Pianistin
Haben Sie damals nicht auch
einen Mozartabend gegeben

Das war der Abend vor der Unwetterkatastrophe
Bassist hält sein Glas hin und der erste Diener
schenkt ihm ein
Die Cosi ist buchstäblich ins Wasser gefallen

KAPELLMEISTER

Da hat es die Helletsgruber erwischt
Lungenentzündung aus

BASSIST

Vor Hitler
alles vor Hitler

VERLEGER

Nietzsche hat das alles vorausgesehen
Auf Sils Maria hätte die Menschheit hören müssen

REGISSEUR

Heute ist auch Glyndebourne
nurmehr noch eine Musikfabrik
wenn auch nicht ganz so gigantisch

BASSIST

Heute wird vom Fließband gesungen
alle singen und schauspielern vom Fließband
nimmt einen Fasanenknochen in die Hände
eine einzige riesige Massenfabrikation
pseudomusikalisch
schaut auf die Uhr
Die Gundi läßt mich sitzen
Eine Aufsehenerregerin
Man singt nicht ungestraft
zum zweihundertstenmal den Ochs
zum zweihundertstenmal

Zwischen Salzburg und Bayreuth
wird alles langsam aber sicher
kaputtgemacht
Ich sag ja immer zur Gundi
sei vernünftig
aussteigen aus dem Vertrag
auf einmal ist die Stimme kaputt
aber die ist unbelehrbar

VERLEGER

und eine charmante Person

BASSIST

Eine durch und durch
krankhafte Natur
Und je größer das Talent
desto totaler seine Vernichtung
nimmt einen zweiten Fasanenknochen und nagt ihn
ab
Die Menschheit hat es
auf das Genie abgesehen
Schauen Sie sich alle diese Talente an
hochbegabte Talente
so hochbegabte Talente wie niemals vorher
alle kaputtgemacht
die vor zehn Jahren aufgetaucht sind
Keine Ausdauer
keine Ökonomie
kein Ethos

TENOR

Disziplin ist heute ein Fremdwort

BASSIST

Absolut

VERLEGER

Ein Fremdwort Herr Baron

Das Wort Disziplin ist heute ein Fremdwort

BASSIST *zur Elly Ney*

Meine liebe Elly Ney

wohin wären Sie gekommen

wenn Sie nicht täglich

ihre acht bis zehn Stunden geübt hätten

zu Toscanini

Mein hochverehrter Maestro Toscanini

wem sage ich das

Überhaupt die ganze Auffassung von Musik

Heute wissen die jungen Leute ja nicht einmal

mehr

was Musik ist

Sie machen ein Musikstudium

und schließen es ab

aber sie wissen überhaupt nicht

was Musik ist

Fühlen Sie einmal einem von den jungen Karrieri-

sten auf den Zahn

Sie erleben Ihre Wunder

alle sind sie perfekt

perfekt

REGISSEUR

Heute ist alles perfekt

perfekt
aber von Musik haben die keine Ahnung
zu Tauber
Mein lieber Tauber
Hand aufs Herz
schaut in die Runde
aber ich will niemanden beleidigen
Schubert singen
na ja
Die Sänger singen sich ihre Noten auf ihr Bank-
         konto
und die Instrumentalisten genauso
Aber es könnte sein daß die Gesellschaft
diesem Zustand
dieser perversen Vermögensbildung auf dem
        Konzertpodium
und auf dem Theater
daß die Gesellschaft diesem Spuk
über kurz oder lang
ein Ende macht
Ein Ende meine Damen und Herrn
trinkt aus und läßt sich gleich wieder einschenken
ein plötzliches Ende
Die Kunst insgesamt ist heute
nichts anderes
als eine gigantische Gesellschaftsausbeutung
und sie hat mit Kunst so wenig zu tun
wie die Musiknoten mit den Banknoten

Die großen Opernhäuser wie die großen Theater
sind heute nur große Bankhäuser
auf welchen die sogenannten großen Künstler
tagtäglich
gigantische Vermögen anhäufen

VERLEGER

Ein wahres Wort Herr Baron

BASSIST

Aber ein ungeheuerlicher Bankkrach
also ein ungeheuerer Opernhäuserkrach und
Theaterkrach
steht unmittelbar bevor
nimmt sich einen neuen Fasanenknochen
Aber die sogenannten großen Protagonisten ahnen
das
weil sie in Wirklichkeit nichts anderes als
Spekulanten sind
und bringen ihre Schäfchen ins Trockene
Das Volk ist ein einziger aufgeblähter Dummkopf
zu Toscanini
mein lieber Maestro Toscanini
ich habe mir heute Ihre Cosiaufnahme
aus dem Jahr siebenunddreißig angehört
und habe sie mit der Aufnahme die unser unglücklicher verunglückter Freund gemacht hat
verglichen
ich muß sagen
Aber die Toten sollen ruhn
hebt sein Glas und läßt sich vom ersten Diener

17

einschenken
Das Engagement in Buenos Aires
ist sein erstes Engagement gewesen
nach seinem fürchterlichen Autounfall bei
Barcelona
Knappertsbusch vermittelte es noch
der alte Knappertsbusch
Er hatte sich darauf verlassen
daß er sich auf einen Sessel
oder wenigstens auf einen Hocker setzen kann
der Arme
weil er nach der Rückgratverletzung
nicht mehr stehend dirigieren konnte
er war ja auch schon viel zu schwer gewesen
viel zu schwerfällig
nagt auffällig am Knochen

KAPELLMEISTER

Das hat man seinen Tempi angemerkt
schwerfällig
sehr schwerfällig

BASSIST

Mozart ist das nicht gut bekommen
Aber ich habe im Jahr zweiundfünfzig
eine gute Zauberflöte von ihm gehört
in Mannheim
trinkt
Glatteis bei Barcelona
eine Seltenheit
nagt auffällig am Knochen

18

PIANISTIN

Ich selbst habe einmal
Glatteis erlebt in Barcelona

BASSIST

Da gibt es ja auch
macht einen kräftigen Schluck
so eine Gesellschaft der Musikfreunde
Spanien hat mich nie gereizt
Ich hätte schon oft nach Madrid fahren können
und dort den Ochs singen
Mit Spanien ist das so eine Sache

VERLEGER

Wo Sie doch ein solcher Kunstfreund
und Kunstkenner sind

BASSIST

Die Alhambra wäre fällig ich weiß
nagt auffällig am Knochen
Der Wagen rutschte ab
und überschlug sich
und stellen Sie sich vor
beide Taktstöcke waren
in der Mitte auseinander gebrochen
er hatte immer zwei Taktstöcke mit

REGISSEUR

Ein böses Omen

BASSIST

Seine Frau
eine Pschorr
wie die Frau von Richard Strauss

ist mit einer Gehirnerschütterung davongekommen
Er versuchte es halt
mit zwei Taktstöcken
Spaß beiseite
der Mann mußte zweieinhalb Jahre in den Gips
nagt auffällig am Knochen
Das hat natürlich sein ganzes Vermögen

                                          verschlungen
von sich aus reiche Leute
Wiener Cottage
Geblieben ist ihnen nur die kleine Holzmühle
am Wallersee
die Sie ja alle kennen
wir haben schon als Kinder immer gesagt
Die Kunstmühle
weil in dieser Holzmühle
immer Künstler Kunst gemacht haben
zu Toscanini, nachdem er ausgetrunken hat
In dieser Holzmühle mein lieber Maestro
habe ich Sie kennengelernt
ich war zweiundzwanzig
Auch Georges Szell war da
Sie erinnern sich
Sie haben unserem Unglücksraben
nagt auffällig am Knochen und wirft ihn in den Teller
vorgemacht
wie man Macbeth dirigiert
Ich hatte unserem Freund

einen Rosenkavalierauszug zurückbringen wollen
ein trüber gewittriger Nachmittag
Szells Rolls Royce stand vor der Mühle im Moor
nimmt sich ein Stück Fasan
Die Vorhänge waren zurückgezogen
ich traute meinen Augen nicht
der große Toscanini machte unserem Freund
Macbethtempi vor
Diese kleinen vergitterten Mühlenfenster

PIANISTIN
Ist das hübsch auf dem Land

BASSIST
Sie können sich vorstellen
ich war wie vor den Kopf gestoßen
Toscanini in der Mühle
Sie zeigten ihm die Macbethtempi
es war mir sofort klar gewesen
daß es sich um Macbeth handelt
Mehrere Male stampften Sie auf dem Mühlenboden
auf
weil Sie unser Freund nicht begriffen hat
Er dirigierte ja dann Macbeth an der Oper
er versuchte nachzumachen
was Sie ihm vormachten
aber er machte alles fortwährend falsch nach
einmal war er zu schnell
dann wieder zu langsam
Sie stampften tatsächlich mehrere Male auf dem
Mühlenboden auf

nagt auffällig am Knochen
Die ganze Mühle erzitterte
wie der große Toscanini aufstampfte
Aber er begriff nichts
Ich beobachtete jede Einzelheit durch das Mühlen-
                                                 fenster
Am Ende gaben Sie auf
Sie schleuderten den Taktstock
offensichtlich war es der Taktstock unseres
                                          Freundes
auf die Ofenbank
und setzten sich auf die Ofenbank
und Sie zerrauften sich die Haare
trinkt
Zuerst hatte ich Scheu gehabt einzutreten
In diese Szene hinein
aber dann hatte ich Mut und trat ein

PIANISTIN

In diese entzückende kleine Mühle

BASSIST

Toscanini kennenzulernen
eine Ungeheuerlichkeit

SCHAUSPIELERIN

Ein Höhepunkt

BASSIST

Ein absoluter Höhepunkt
zweifellos
Und noch etwas ist mir in Erinnerung
wie Szell der große Georges Szell

zu Toscanini
wie Sie unserem Freund die Macbethtempi
                                    vormachten
im Hintergrund
neben dem Kachelofen in der Ecke steht
vollkommen unbeweglich im Hintergrund
schleckt sich die Finger ab
Toscanini und Szell
und unser Freund
und ich
trinkt
Szell rührte sich einfach nicht
Da trat ich ein
und es war etwas Merkwürdiges eingetreten
zu Toscanini direkt
Sie haben mich überhaupt nicht zur Kenntnis
                                    genommen
mein hochverehrter Maestro Toscanini
Sie haben zum Fenster hinausgeschaut
Sie waren vollkommen erschöpft
mit Ihren zerrauften Haaren
schaut in die Runde und lacht und nagt wieder am
Knochen
Und dann verabschiedeten Sie sich
aber Sie würdigten mich keines einzigen Wortes
Das war der Beginn unserer Freundschaft
mein lieber Maestro
zu Richard Mayr
Am Abend berichtete ich Richard Mayr

von meinem Erlebnis
Er sang damals den Ochs zum letztenmal
zu Richard Mayr direkt
Ihr letzter Sommer
zu Toscanini direkt
Sie haben sich mit unserem Freund wahrlich Mühe
gegeben
aber ein originaler Kapellmeister
ist aus ihm doch nicht geworden
Zweifellos hatte Szell
von Ihrer Unterweisung in Macbeth profitiert
nagt am Knochen

VERLEGER

Das Genie soll sich hüten
der Mittelmäßigkeit etwas beibringen zu wollen

REGISSEUR

Da haben Sie recht
da haben Sie vollkommen recht
Verleger lacht
Bassist nagt am Knochen
Nach der Rückgratverletzung
hat er nicht mehr stehen können beim Dirigieren
nur sitzend

SCHAUSPIELERIN

Der Arme

BASSIST

Aber da war kein Sessel
nicht einmal ein Hocker war da
nichts

PIANISTIN

Er hätte sich selbst vergewissern müssen

TENOR

Natürlich selbst

BASSIST

Selbst

selbst

man muß sich immer selbst vergewissern

Und gar in Südamerika

Er wollte den Taktstock heben

und sich hinsetzen

das heißt er hat den Taktstock gehoben

und sich hingesetzt

und ist kopfüber in den Orchestergraben gefallen

kopfüber

REGISSEUR *laut auflachend*

Kopfüber

VERLEGER

kopfüber

TENOR *auflachend*

kopfüber

ALLE *zusammen auflachend und rufend*

kopfüber

BASSIST *in das Lachen hinein*

Der erste Auftritt nach drei Jahren

davon zweieinhalb Jahre in Gips

von Knappertsbusch vermittelt

Regisseur lacht laut auf

Verleger lacht laut auf

Pianistin lacht laut auf
Alle lachen
Bassist in das Lachen hinein brüllend
und da fiel der Mann in den Orchestergraben
bei Falstaff

KAPELLMEISTER

In Südamerika aufzutreten
ist immer ein Risiko

BASSIST *zum Kapellmeister*

Da könnte ich Ihnen viele Geschichten erzählen
trinkt aus und läßt sich sofort wieder einschenken
alle
oder wenigstens die meisten
mit tödlichem Ausgang
schaut auf die Uhr
Da singe ich zum zweihundertstenmal den Ochs
und alle feiern wir diesen Umstand
und wer nicht da ist
ist sie

REGISSEUR

Ein typisches Kind unserer Zeit
hochtalentiert

BASSIST

aber vollkommen undiszipliniert

KAPELLMEISTER

Aber was für eine Fiordiligi
Sie ist meine Entdeckung
ich habe sie als ganz junges Mädchen
in der Wallfahrtskirche zu Mariazell gehört

Meerstern ich dich grüße
eines der schönsten Marienlieder hat sie gesungen
Da war ich wie elektrisiert
ich schickte sie auf meine eigenen Kosten zuerst
zu unserer verehrten Hilde Güden
Das Weitere wissen Sie
eine unglaubliche Karriere

BASSIST

Aber gefährdet
das müssen Sie zugeben
nagt am Knochen

KAPELLMEISTER

Allerdings
Bassist trinkt aus und läßt sich einschenken

VERLEGER *zu Samuel Fischer*

Mein lieber Kollege Samuel Fischer
ist ein Onkel von ihr

REGISSEUR

Sie sehen die bedeutenden Künstler
sind alle untereinander verwandt
die berühmtesten
mit allen andern berühmtesten
Die Ausnahmen bestätigen die Regel

VERLEGER

Im übrigen ist unsere verehrte Abwesende
auch eine Verwandte von Thomas Mann
und dieser ist
wie ich gerade herausgefunden habe
mit James Joyce verwandt

PIANISTIN *ausrufend*

   Mit Joyce
   mit Joyce
   was Sie nicht sagen

SCHAUSPIELERIN *fast hysterisch*

   Tatsächlich mit Joyce

VERLEGER

   Tatsächlich mit Joyce
   Joyce und Mann
   sind Verwandte
   Und Joyce habe ich entdeckt
   ist mit Rilke verwandt

PIANISTIN

   Dann ist ja auch Mann
   mit Rilke verwandt
   wenn Joyce mit Mann verwandt ist
   und Rilke mit Joyce

VERLEGER

   Das ist eine Sensation

SCHAUSPIELERIN

   Eine Sensation

REGISSEUR

   Sensationell

KAPELLMEISTER

   Unglaublich

VERLEGER

   Und mit Rilke sind so viele verwandt
   daß gar nicht gesagt werden kann
   mit wievielen Rilke verwandt ist

zum Bassisten
Jedenfalls kommt Ihre Freundin
in unserer neuen Rilkebiografie vor
die ich für den Herbst plane
und in der neuen Joycebiografie auch
und auch in der neuen Wittgensteinbiografie
die ich plane
Ich selbst schreibe an einem Buch
über die berühmtesten Künstler
meiner Zeit

BASSIST

Die Schriftsteller
auch wenn sie Wissenschaftler sind
sind Übertreibungsspezialisten
Übertreibungsspezialisten
hebt sein Glas und schaut auf die Uhr und läßt
sich das Glas anfüllen
Es gibt Künstler
vornehmlich Musikkünstler
oder Theaterkünstler
die im Grunde ja alle Tonkünstler sind
die stürzen von einem Unglück in das andere
wie unser lieber Kollege

KAPELLMEISTER

Nehmen Sie Patzak
erinnern Sie sich an Patzak
ein absoluter Publikumsliebling
eine Stimme

REGISSEUR

wie ein krächzender Hahn

VERLEGER

Was ist das Kriterium für Berühmtheit

REGISSEUR

Eigentlich eine einschneidend häßliche Stimme

KAPELLMEISTER

Aber eine solche Faszination
ist von Patzaks Stimme ausgegangen
wie von keiner zweiten

REGISSEUR

Patzak und die Ferrier
ein absoluter Höhepunkt

KAPELLMEISTER

Natürlich unter Walter

REGISSEUR

Die Faszination geht immer
von den Verkrüppelten aus

VERLEGER

Das absolut Schöne fasziniert nicht

REGISSEUR

von dem Verkrüppelten geht immer
eine Faszination aus
in jeder Kunstgattung
ist es die Malerei
ist es die Literatur
ja selbst in der Musik
fasziniert uns das Verkrüppelte

VERLEGER

Sehen Sie
Patzak mit seiner Verkrüppelung
die tatsächlich häßliche einschneidende krächzende
                                    Stimme einerseits
gleichzeitig die geschulteste perfekteste
                        faszinierendste Stimme andererseits

REGISSEUR

Diese häßliche krächzende Stimme
und diese verkrüppelte Hand
da ist einem kalt über den Rücken gelaufen

KAPELLMEISTER

Mit Patzak Fidelio zu machen
das war schon ein Vergnügen
und mit der Flagstad
Patzak hatte die außerordentlichste Stimme
die ich jemals gehört habe
aber nicht die schönste
nicht die schönste

TENOR

Die exakteste

BASSIST

Die exakteste

KAPELLMEISTER

Patzak war der exakteste Sänger überhaupt
Der exakteste Sänger mit der exaktesten Stimme
und mit dem exaktesten musikalischen Gehör

REGISSEUR

Der exakteste zweifellos

31

VERLEGER

Seine verkrüppelte Körperhaltung
Bassist winkt
den ersten Diener heran
und läßt sich
einschenken
hervorgerufen von seiner verkrüppelten Hand
hat Patzak zu der außerordentlichsten Künstlerschaft befähigt
Bassist schaut auf die Uhr

REGISSEUR

Immer ist es eine Verkrüppelung
die den Anstoß gibt
für die Faszination

VERLEGER

Das Genie
ist eine Verkrüppelung
Bassist nagt an einem Knochen
Über Patzak
und vornehmlich über Patzaks Verkrüppelung
ist ein zwanzig Seiten langer Aufsatz von Adorno
in dem Buch von Adorno
das ich im Herbst herausbringe
die Musikgeschichte aller Musikgeschichten
Adorno untersucht die Verkrüppelung Patzaks
und die geistige Beschränktheit Patzaks
und kommt zu fulminanten Ergebnissen
Die Verkrüppelung
der Hand Patzaks

ist notwendig gewesen für Patzaks Künstlertum
Patzak wäre nichts gewesen
ohne seine verkrüppelte Hand
ruft aus
Kein Großer etwas ohne seine Verkrüppelung
ist sie nun sichtbar oder nicht
Alle Großen sind verkrüppelt
alles Große ist verkrüppelt

REGISSEUR
Die Kunst der Verkrüppelten ist die höchste
die außergewöhnlichste

KAPELLMEISTER *ruft dazwischen*
Die Verkrüppelten haben ein hohes Harmoniever-
hältnis

REGISSEUR
Wie sie ein außergewöhnliches Verhältnis
zur Natur haben

VERLEGER
Und also ein ungeheueres Kunstverhältnis und
Kunstverständnis

REGISSEUR
Die Großen die Bedeutenden die Berühmten
sind immer Verkrüppelte gewesen

VERLEGER
Adorno weist diesen Tatbestand nach
Bassist wirft seinen Knochen
in den Teller
Es kann sich
wie Adorno nachweist

um eine Körperverkrüppelung
aber auch um eine Geistesverkrüppelung handeln
Goethe Schiller Heine Schopenhauer Kant
alles Verkrüppelte durch und durch Verkrüppelte
auch das politische Genie verkrüppelt
das Genie immer verkrüppelt
Bassist läßt sich
einschenken
Denken Sie nur an Shakespeare
an Dostojewskij
an Flaubert Proust etcetera

BASSIST

Beethoven

VERLEGER

Beethoven selbstverständlich
Mozart Bach Händel Wagner

REGISSEUR

Aber auch alle großen Interpreten
denken Sie an Paderewski Paganini Chopin
Furtwängler Casals Cortot

KAPELLMEISTER

Nikisch Walter

VERLEGER

Die größten Kapellmeister immer Verkrüppelte
Geisteskrüppel oder Körperkrüppel

KAPELLMEISTER

Furtwängler ist ein Musterbeispiel dafür
seine Interpretationen alle aus seiner Verkrüppelung heraus

REGISSEUR

Das ist klar
nur dem Verkrüppelten öffnet sich der wahre
                                        Genius

VERLEGER

Es kann gesagt werden die Künstler
die größten Künstler sind unter sich
wenn wir sagen die größten Krüppel sind unter
                                        sich
Eine einzige Notenschrift der Verkrüppelung
wenn wir die Notenschrift der Genies verfolgen

REGISSEUR

Bach ist man darauf gekommen
war verkrüppelt

VERLEGER

Leonardo war es

KAPELLMEISTER

Wenn diese Verkrüppelungen auch nicht sofort
                                        gesehen werden
sie sind da
Der Außerordentliche ist immer verkrüppelt
Was in ihm vorgeht
eine Verkrüppelung

VERLEGER

Das ist keine These
das ist eine Tatsache
Die Ursache des Schöpferischen überhaupt
eine Körperverkrüppelung oder eine Geistesver-
                                        krüppelung

BASSIST

Wann kann man denn Adornos Buch lesen

VERLEGER

Ich bringe es noch diesen Herbst auf den Markt

Ein Opus magnum

es ist das Opus magnum der zweiten Hälfte dieses
Jahrhunderts

BASSIST *klatscht den ersten Diener herbei, ruft aus*

Wenn die Frau Kammersänger kommt

möglicherweise durch den Garten

führen Sie sie sofort herein

sofort

Diener schenkt

dem Bassisten ein

Sie sägt an dem Ast

auf dem sie singt

sie sägt auf dem Ast

auf dem sie singt

VERLEGER

Sie ist bewunderungswürdig

BASSIST

Die Gundi hat sich sicher

etwas ausgedacht

zu dieser kleinen Feier

etwas ausgedacht sicher

trinkt

Aber es war ihre Idee

Sie alle heute einzuladen

zur Feier meines zweihundertsten Ochsen

Zweihundertmal der Ochs
Aber es ist eine schöne Partie

VERLEGER

Der Faust Hofmannsthals
Hofmannsthals Faust

BASSIST

In Amerika ist der Ochs am beliebtesten
Sie hat sich etwas ausgedacht
etwas Raffiniertes
etwas Absonderliches sicher
etwas Außergewöhnliches die Gundi
Hoffentlich ist sie nicht wieder betrunken
Dann betrinkt sie sich
wenn sie nicht mehr auftreten muß
wenn die Oper abgespielt ist
Eine raffinierte Person

VERLEGER

Und ebenso charmant

BASSIST

Eine kleine Katze
Sie kennen sie nicht ganz
nicht ganz meine Herrschaften
eine Katze ist sie eine Katze
Sie hat sich sicher
nagt auffällig an einem Knochen
etwas Raffiniertes ausgedacht
Unser Unglücksrabe ist ihr nach
aber sie hat ihm einen Korb gegeben
einen Korb

trinkt
einen Korb
diesem hochmusikalischen Unglücksraben
Das Rückgrat gebrochen in Barcelona

KAPELLMEISTER

Das Erstaunliche dieser Karriere ist gewesen
daß sie immer wieder ein neues Unglück herauf-
beschworen hat
und immer ein größeres Unglück

BASSIST

Man hätte meinen können
der Mann ist immer nur engagiert worden
um in ein neues Unglück hineinzustürzen
aber gerade diese Unglücksnaturen
geben nie auf

REGISSEUR

Ein wahres Wort

BASSIST *trinkt*

Ich habe eine Kollegin gekannt
die hat sich immer wieder die Finger gebrochen
Raten Sie was sie war
Pianistin natürlich
Schauspielerin
lacht
Spielen Sie doch nicht immer Bach
Sie hatte es mit der Kunst der Fuge
hatte ich immer zu ihr gesagt
aber sie war die Hartnäckigste
Da brichst du dir immer wieder die Finger

Und sie hat sich immer wieder die Finger gebrochen

VERLEGER

Manche Künstler gehen mit offenen Augen
auf den Abgrund zu
und stürzen hinein

KAPELLMEISTER

Diese Leute ziehen das Unglück an
Von allen Seiten werden diese Leute gewarnt
aber sie tappen immer hinein

BASSIST

Für die Witwe war es das Katastrophalste
Er hatte den Wunsch
in Henndorf am Wallersee begraben zu sein
und Buenos Aires ist schließlich nicht die kürzeste
Entfernung
Aber er ist schließlich doch
in nächster Nähe seiner kleinen Holzmühle begraben worden

REGISSEUR

Wir alle haben es ermöglicht

SCHAUSPIELER

Wir alle

ALLE *durcheinander*

Wir alle

KAPELLMEISTER

Ich hielt die Grabrede
Es ist nicht leicht
das richtige Wort zu finden

Vorhang

Die Künstler entledigen sich ihrer Vorbilder

Wie vorher

BASSIST *ruft aus*
> Es gibt keine Zufälle
> *läßt sich vom ersten Diener*
> *einschenken*

REGISSEUR
> In einer mathematisch vollkommen ausgeklügelten
> Welt
> die dazu auch noch durch und durch die Natur ist
> kann es keinen einzigen Zufall geben

VERLEGER
> Wo wir doch fortwährend
> von Zufällen überrascht
> um nicht sagen zu müssen
> überrannt sind

KAPELLMEISTER
> Der schöpferische Mensch
> der zeitlebens nur in der Einbildung leben muß
> Aber die Wahrheit ist eine andere
> Die Witwe weiß
> was sie tat
> indem sie ihren Mann
> über den Atlantik schickte
> *zur Elly Ney*
> Aber kannten Sie den Kollegen nicht viel besser

als ich
liebe Elly Ney

TENOR

Was macht sie denn überhaupt
die Witwe
Hat sie nicht auf der Harfe dilettiert

KAPELLMEISTER *bricht in Gelächter aus*

Auf der Harfe
auf der Harfe
Sie spielte sogar einmal
im Großen Musikvereinssaal
unter ihrem Mann

REGISSEUR

Es gibt nichts Fürchterlicheres
Abstoßenderes
als die Künstlerehe

BASSIST *nagt an einem Knochen*

Ein wahres Wort

REGISSEUR

Der eine
vernichtet den andern
Der Stumpfsinn geht mit dem Schwachsinn
die Ehe ein

KAPELLMEISTER

Lauter gescheiterte Künstlerehen
Lauter von ihren Frauen lächerlich gemachte
                                                          Größen

REGISSEUR

Sind es zwei Talente

wie groß immer
vernichten sie sich
zuerst das eine das andere
und dann umgekehrt
Entweder die Frau unterwirft sich
oder sie wird vernichtet
oder der Mann unterwirft sich
oder er wird vernichtet
in jedem Fall sind die Partner vernichtet
Beide erreichen immer
was sie vorgehabt haben
die Vernichtung des Ehepartners
die Bloßstellung die Verleumdung der Kunst

VERLEGER

Die Selbstvernichtung der Künstlerehen
ist eine totale

BASSIST *ausrufend*

Ein wahres Wort

REGISSEUR

Der Künstler hat allein zu sein
gegen alle Welt allein
einsam zu sein
gegen alle und gegen alles

VERLEGER

Er muß sich ununterbrochen verletzen lassen

KAPELLMEISTER

Aber Künstler die sind am verletzbarsten

BASSIST

Ein wahres Wort

REGISSEUR

Künstler sind die wahren Gesellschaftsopfer

VERLEGER

Und die Künstlerehe
das lächerlichste

REGISSEUR

Die Künstlerehe
ist ein Talentbegräbnis

KAPELLMEISTER

Der Tod des Genies

BASSIST

Schaljapin mußte wegen der vielen Darmver-
schlüsse seiner Frau
andauernd absagen

KAPELLMEISTER

Ich hatte einen Kollegen
der hat eine Kollegin geheiratet
wir waren zusammen auf der Akademie
Diese Kleinstädte vernichten die jungen Menschen
treiben sie zuerst in Verzweiflung
und dann in eine Ehe hinein
und vernichten sie
Der Mann der mit zweiundzwanzig Jahren
an der Oper Cenerentola dirigiert hat
eine Sensation
Er verehelichte sich
und von da an ist es bergab gegangen mit ihm
Meistens eine Krankheit
eine Todeskrankheit

als Folge der Verrücktheit der Verehelichung
alles unglücklichste Verhältnisse
die aber nicht eingestanden werden
Darüber wird nicht gesprochen
über die Fürchterlichkeit
In Bad Segeberg
zwischen Hamburg und Kiel
treffe ich den Kollegen nach Jahren
er suchte einen Evangelisten für die Passion
tatsächlich gab es seinerzeit nur einen einzigen
                              Evangelisten in Europa
den Helmut Krebs
will schon herauslachen und unterdrückt es
stell dir vor
sagte der Kollege ganz aufgeräumt
gerade habe ich den Krebs engagieren wollen
und der Arzt sagt mir ich hab ihn schon
Alle lachen auf

KAPELLMEISTER

Hab ihn schon
hab ihn schon
Alle lachen

BASSIST

sagt der Arzt

KAPELLMEISTER

sagt der Kollege

BASSIST

hab ihn schon
schaut auf die Uhr

Unser schönes Kind
ist unerhört
KAPELLMEISTER *zu Toscanini*
Plötzlich verlangsamen
ganz plötzlich verlangsamen wissen Sie
urplötzlich wissen Sie Toscanini
VERLEGER *zitierend*
Der Ernst muß heiter
der Schmerz ernsthaft schimmern wissen Sie
Hat die Musik nicht etwas
von der kombinatorischen Analysis
und umgekehrt
Zahlenharmonien
Zahlenakustik
gehört zur kombinatorischen Analysis
BASSIST
Ich kenne keinen Menschen
der ehrgeiziger ist als die Gundi
KAPELLMEISTER
Die Eigenwilligste zweifellos
BASSIST
Die Gundi ist eigenwillig
KAPELLMEISTER
Und die begabteste
Sie erreicht
was sie will
Sie hat eine ganz genaue Vorstellung von dem
das sie will

BASSIST *zur Lotte Lehmann*
  Immer sagt sie
  daß Sie verehrte Lotte Lehmann
  Ihr Vorbild sind
  Jeden Tag mindestens einmal
  hört sie eine Schallplatte
  mit Ihrer Stimme
  Ihre Verehrung für Sie
  ist die höchste
REGISSEUR
  Was für den Schriftsteller
  zweifellos Shakespeare
  Dostojewskij
  Heinrich von Kleist
  ist für den Interpreten
  immer der höchste schöpferische Interpret
  der jeweilige höchste
KAPELLMEISTER
  Der jeweilige höchste
BASSIST
  Für die Gundi war
  und ist
  Lotte Lehmann die höchste
  zur Lotte Lehmann direkt
  Selbst im Schlaf
  im Traum
  redet sie von Ihnen Verehrteste
VERLEGER
  Während dem gewöhnlichen Menschen

sein Erkenntnisvermögen
die Laterne ist
die seinen Weg beleuchtet sagt Schopenhauer
ist es dem Genialen die Sonne
welche die Welt offenbar macht

BASSIST

Sicher hat sie sich
etwas Raffiniertes ausgedacht
für diesen Tag

KAPELLMEISTER

Harmonie
in einer Welt voller Disharmonie

BASSIST *zu den Dienern*

Auftragen
einschenken
Die Diener tragen auf und schenken ein

REGISSEUR

Die Schönste
zugleich die Kunstvollste

VERLEGER

Die Zähler
sind die mathematischen Vokale
die Zahlen
sind Zähler
an alle
Novalis
Die kombinatorische Analysis
führt auf das Zahlenphantasieren
und lehrt die Zahlenkompositionskunst

den mathematischen Generalbaß
Pythagoras
Leibniz
Die Sprache ist ein mathematisches Ideen-
                                                        instrument

Der Dichter
Rhetor und Philosoph
spielen und komponieren grammatisch

BASSIST

In zehn Jahren
habe ich alles erreicht
das Sie hier sehen
ausschließlich
mit meinem Talent
und mit meiner Ausdauer
und mit meiner Unnachgiebigkeit
zu den Dienern
Bedienen Sie die Herrschaften
Die Diener
bedienen
Mit meinem Talent
mit meiner Energie
zu Richard Mayr
Von einem Bassisten
noch dazu wenn er ein schwarzer Baß ist
wird das Höchste gefordert
Ich habe alles erreicht
ich habe alle großen Partien
an allen großen Opernhäusern gesungen

Den Ochs unter Kleiber
mit der Schwarzkopf als Marschallin
schaut auf die Uhr
Die Gundi hats in sich
die laßt mich sitzen

KAPELLMEISTER

Eine angestrengte Person
hypernervös
in der höchsten
in der allerhöchsten Konzentration

REGISSEUR

Ein paar Gläser Wein
weil die Oper abgespielt ist

BASSIST

Abgespielt
abgespielt

KAPELLMEISTER

Sie müssen ihr
einen Umweg gestatten Herr Baron
ein kleines Auslassen Nachlassen Gehenlassen

VERLEGER

Die Künstler müssen
vor allem die angestrengtesten
immer wieder eine Zeit allein sein

REGISSEUR

Möglicherweise schreibt sie jetzt den Brief
an ihre Mutter

BASSIST

Die Gundi hat immer eine Ausrede

49

Aber heute
wo ich mich so auf diese kleine Feier gefreut habe
Das ist nicht alltäglich
daß einer den zweihundertsten Ochsen singt

KAPELLMEISTER

Den besten Ochs
den allerbesten Ochs

BASSIST

Sie beschämen mich
schaut auf die Uhr

KAPELLMEISTER

Wahrscheinlich macht sie ihren obligaten Umweg

BASSIST

Den obligaten Umweg

REGISSEUR

Sie hat sich für heute
etwas Besonderes ausgedacht Herr Baron

BASSIST

Ausgedacht
ausgedacht

KAPELLMEISTER *klopft mit einem Messer*
an sein Glas und steht auf
und hebt sein Glas auf den Bassisten
Also noch einmal Baron
mein lieber Freund
zu Ihrem zweihundertsten Ochs
Zweihundertmal den Ochs
Alle heben ihr Glas

Er lebe hoch
hoch

ALLE

Hoch
Alle durcheinander
hoch
hoch
hoch
Alle trinken aus

KAPELLMEISTER

Sie sind nicht nur der Berühmteste
Sie sind auch der Größte

REGISSEUR

Der Größte

VERLEGER

Zweifellos

BASSIST

Sie beschämen mich

KAPELLMEISTER

Keine Worte mehr
Es ist nicht leicht
das richtige Wort zu finden
zum Bassisten
direkt
Die Welt der Oper
kann sich glücklich schätzen
mit Ihnen

BASSIST

Sie beschämen mich

zu Lotte Lehmann und Richard Mayr
Aber der absolute Höhepunkt
was den Rosenkavalier betrifft
sind doch Sie beide gewesen
Lotte Lehmann und Richard Mayr
Das hat sich nicht wiederholt
Aber ich kann sagen
daß ich mein bescheidenes Talent
ganz gut entwickelt habe
zu Mayr direkt
Unter einem solchen großen Vorbild zu singen wie
Sie
verehrtester Richard Mayr
Ich stamme ja auch aus einer Bierbrauerfamilie
Mein Großvater ist vierspännig
in die Oper nach München gefahren
vierspännig
Wagnerianer natürlich
er war ein Vetter der Frau von Richard Strauss
auch ein Pschorr
ein Opernnarr
Wagnerianer natürlich
Keine zweite Woche
in welcher er nicht
vierspännig vierspännig in die Oper gefahren wäre
Zuerst hatten wir Kinder keinen Geschmack an der
Oper
aber ich wäre nicht der Enkel meines Großvaters
gewesen

und nicht aus einer Bierbrauerfamilie
wenn nicht eines Tages die Leidenschaft für die
                                                    Oper
aus mir herausgebrochen wäre
im wahrsten Sinne des Wortes
aus mir herausgebrochen
zu dem gleichen Zeitpunkt natürlich
in welchem ich meine Stimme entdeckt habe
während eines Sonntagsausfluges am Starnbergersee
am Starnbergersee
so war es
Mein Großvater hat davon Strauss erzählt
und Strauss hat ihm gesagt
mein Großvater solle mich zu ihm schicken
und so bin ich zu Strauss
zu Mayr direkt
Und Strauss hat mich Ihnen empfohlen
und Sie haben aus mir gemacht was ich heute bin
Ich glaube ich habe
einiges erreicht

KAPELLMEISTER UND REGISSEUR *zusammen*

Das kann man wohl sagen

TENOR

Selbst ein Vorbild
Der Herr Baron ist selbst ein Vorbild

VERLEGER *ruft aus*

Ein Vorbild Herr Baron ein Vorbild

KAPELLMEISTER

Ich kenne keinen besseren Figaro

REGISSEUR

Und Ihr Jago

TENOR

Und sein Rocco

KAPELLMEISTER

Besser als Edelmann

BASSIST

Edelmann habe ich gut gekannt

durch Emmanuel List habe ich Edelmann kennengelernt

bei Frieda Leider in Berlin

ich glaube es war Neunundfünfzig

Die einzige wirklich gelungene Oper nach Mozart

ist doch der Rosenkavalier

VERLEGER

Ein musikalisches Opus magnum

ein Opus magnum der Musik

zum Kapellmeister

Habe ich nicht recht

KAPELLMEISTER

Das kann man wohl sagen

BASSIST

Aber man darf nicht zu alt sein

für den Ochs

nicht zu jung

aber auch nicht zu alt

zu Richard Mayr

Da waren Sie fünfunddreißig

auf dem Höhepunkt

wie Sie den Ochs gesungen haben
auf dem Höhepunkt

VERLEGER

Das Talent fordert von der Gesellschaft
die höchste Aufmerksamkeit
wie die Gesellschaft die höchste Aufmerksamkeit
vom Talent

BASSIST *ruft pathetisch aus*

Aber Talent ist nicht alles

KAPELLMEISTER

Mit dem Talent ist es so eine Sache

BASSIST

Knappertsbusch hat gesagt
Talent hat jeder
talentiert ist ein jeder

VERLEGER

Im Gegenteil muß zuerst
das Talent vernichtet werden
damit der Künstler entstehen kann
Die Vernichtung des Talents im Künstler
ist seine Voraussetzung

REGISSEUR

Das Talent hindert
das Talent *ver*hindert

VERLEGER

Ein wahres Wort

BASSIST

Bei meinem ersten Vorsingen
hier

im Festspielhaus
Neunundfünfzig stellen Sie sich vor
alle waren da
alle
Krauss Szell Klemperer Krips undsoweiter
Da habe ich zum erstenmal die Lisa della Casa
gehört
da bin ich so beeindruckt gewesen
Das war mein Olympia müssen Sie wissen
mein Olympia
nach den ersten zwei Takten bin ich ohnmächtig
geworden
Zauberflöte
In diesen heiligen Hallen stellen Sie sich vor
schon nach den ersten zwei Takten ohnmächtig
ich weiß gar nicht mehr
wie ich hinausgekommen bin
Da habe ich hinaufgeschaut in den Schnürboden
und die Bühnenarbeiter haben auf mich heruntergeschaut
von ganz hoch oben Sie kennen das
die haben alle auf mich heruntergeschaut
da bin ich ohnmächtig geworden
Das war ja auch wahnsinnig
vor diesen berühmten Leuten vorzusingen
und vollkommen unausgegoren
unausgegoren
plötzlich habe ich meinen Begleiter nicht mehr
gehört

der saß an die dreißig Meter weit weg am Flügel
nicht mehr gehört nichts mehr gehört
und ich habe hinaufgeschaut
und die Bühnenarbeiter haben heruntergeschaut
da bin ich ohnmächtig geworden
Alles war aus aus aus aus
Draußen vor der Tür da sagte der Krips zu mir
junger Mann werdens Fleischhauer
Fleischhauer Fleischhauer
Als ob ich jetzt hörte Fleischhauer Fleischhauer
Der vernichtete mich total damit
total
einem jungen Menschen zu sagen
er solle Fleischhauer werden
in einem solchen Augenblick
der sensible Mozartdirigent
suspekt
suspekt
So vernichtet man Talente meine Damen und

                                        Herren

KAPELLMEISTER

Aber Ihr Talent konnte Krips nicht vernichten
das Ihre nicht Herr Baron

BASSIST

Niedergeschlagen war ich
vernichtet

VERLEGER

Sie selbst sind der Beweis
wie unrecht Krips hatte

BASSIST

Der ging über Leichen
zum Kapellmeister
Da hat mich dann Ihr unglücklicher Kollege
Gott hab ihn selig
beiseite genommen und zu mir gesagt
ich solle zum Trost in seine Mühle hinauskommen
aufs Land
in die kleine Holzmühle

PIANISTIN

In die Mühle mit den hübschen kleinen Fenstern

BASSIST

Es sei alles halb so schlimm
und ich bin in die Mühle hinaus mit ein paar
Klavierauszügen
und er hat einen ganzen Nachmittag mit mir
die Winterreise musiziert
Er war ja wirklich ein hervorragender Begleiter

KAPELLMEISTER

Er wäre einer der besten Korrepetitoren gewesen
einer der allerbesten

BASSIST

Entgegen der Meinung des Herrn Krips
sei ich ein ganz und gar außerordentliches Talent
hat Ihr Herr Kollege zu mir gesagt
Wenn es nach ihm ginge
sei ich vom Fleck weg engagiert
aber er hätte keinerlei Einfluß auf irgendein
Opernhaus

Damals hatte er sich gerade ein Bein gebrochen
in Sankt Moritz
VERLEGER *ruft aus*
In Sankt Moritz
BASSIST
Und stellen Sie sich vor
hat er damals zu mir gesagt
der Unglücksrabe
ich habe mir vor dem Nietzschehaus in Sils Maria
das linke Bein gebrochen
vor dem Nietzschehaus
VERLEGER
Vor dem Nietzschehaus
vor dem Nietzschehaus
BASSIST
Er hätte mich sofort engagiert
zu Richard Mayr direkt
Sie werden lachen hat er zu mir gesagt
Sie sind der ideale Ochs
zum Kapellmeister
Also ganz hatte mir Krips die Oper
und die Singerei nicht austreiben können
ich bin wochenlang
der deprimierteste Mensch gewesen
Immer wenn ich Krips höre denke ich
der hätte bald dein Leben vernichtet
Und stellen Sie sich vor meine Herrschaften
zwei Tage nachdem Krips in Genf gestorben war
überholte ich ihn auf der Autobahn

auf einmal überholte ich einen Luxusleichenwagen
                                              aus Genf
und in dem Luxusleichenwagen war Krips
der tote Krips
der tote Krips
Das kann doch kein Zufall sein
durchaus kein Zufall
kein Zufall

VERLEGER

Wo wir doch fortwährend
von Zufällen überrascht
um nicht sagen zu müssen
überrannt sind

BASSIST

Ob es nun Krips gepaßt hat
oder nicht
ich bin berühmt geworden

KAPELLMEISTER

Das kann man wohl sagen

VERLEGER

Berühmt
tatsächlich berühmt

REGISSEUR

Eine Berühmtheit

BASSIST *lacht auf*

Ich bin eine Berühmtheit
lacht auf

REGISSEUR

Aber natürlich

gibt es auch Verkrüppelte
deren Künstlerschaft nicht die höchste ist
VERLEGER
Naturgemäß
REGISSEUR
Die mit ihrer Verkrüppelung
nicht über die Mittelmäßigkeit hinauskommen
die mit ihrer Verkrüppelung nichts anfangen
können
VERLEGER
Die kein Kapital aus ihrer Verkrüppelung heraus-
schlagen können
wie unser Freund der zeitlebens
mittelmäßig geblieben ist
zu Toscanini
Auch die Unterweisung
die Sie verehrter Maestro unserem Freund in der
alten kleinen Holzmühle gegeben haben
hat ihm nichts genützt
offensichtlich
REGISSEUR
Die Mittelmäßigkeit ist eine Zwangsjacke
in welcher die Mittelmäßigen zeitlebens eingesperrt
sind
wie das Genie zeitlebens
in die Zwangsjacke des Genies
BASSIST *zu Toscanini*
Und Sie mein verehrtester Maestro Toscanini
alle diese Höhepunkte an der Scala

und in Amerika
von den Höhepunkten hier in Salzburg ganz zu
schweigen
sind Ihnen ja auch nur unter den größten Schmerzen möglich gewesen
blickt um sich
Jeder von uns hat seine Verkrüppelung
Die Künstler schweigen sich über ihre Verkrüppelung aus
aber ohne Verkrüppelung keine Kunst
keine Musikkunst keine Theaterkunst jedenfalls

VERLEGER
Und keine Literatur ohne Verkrüppelung

BASSIST *zu Max Reinhardt*
Und Sie lieber Reinhardt
zu Helene Thimig
Und Sie liebe Helene Thimig
zu Alexander Moissi
Und Sie mein lieber Moissi
zu Lotte Lehmann
Und Sie meine verehrteste Lotte Lehmann
Alle verkrüppelt
jeder hat seine Verkrüppelung
Nur wird sie nicht zugegeben
der Künstler gibt seine Verkrüppelung nicht zu
aber er schlägt Kapital aus seiner Verkrüppelung
Ganz abgesehen von unserer verehrten Elly Ney
und von unserem verehrten Richard Mayr
unserem unvergeßlichen Ochs von Lerchenau

zu Samuel Fischer
Sie können ein Lied singen über das
wovon ich spreche
REGISSEUR
Wenn die Künstler
gleichgültig ob es sich um die sogenannten schöpferischen
oder die sogenannten interpretierenden
die ja im Grunde auch schöpferische sind handelt
tot sind
tot sind meine Herrschaften
wenn sie tot sind
kommt zum Vorschein
was sie zeitlebens verschwiegen haben verheimlicht
haben
ihre Verkrüppelung
im Geiste oder im Körper das ist gleich
Das Genie ist ein durch und durch krankhafter
und verkrüppelter Mensch
und ein durch und durch krankhafter und verkrüppelter Charakter
ruft aus
Fragen Sie die Ärzte
was zum Vorschein kommt
wenn sie an die Leiche eines Künstlers gehen mit
dem Skalpell
BASSIST *schaut auf die Uhr*
Die Gundi
läßt uns alle sitzen

Die berühmtesten Leute
läßt sie sitzen

VERLEGER

Sie ist ein Star Herr Baron
der jüngste absolute Star Herr Baron

BASSIST

Sie hat mir versprochen
pünktlich zu sein
Zum zweihundertstenmal den Ochs singen
das ist doch etwas

KAPELLMEISTER

Sie haben keine Ahnung von Sopranistinnen Baron
die ein Star sind

BASSIST

Wahrscheinlich betrinkt sie sich mit ihrem Impre-
sario
nachdem die Cosi abgespielt ist

VERLEGER

Ein Star
spannt alle Welt auf die Folter
damit müssen Sie sich abfinden Herr Baron

BASSIST *schaut auf die Uhr und sagt dann zur Elly Ney*

Jetzt darf ich aber
auch wenn die Gundi nicht da ist bitten
unsere hochverehrte Künstlerin Elly Ney bitten
Es ist der Wunsch aller Anwesender
steht auf
Elly Ney zu hören
hebt sein Glas auf Elly Ney

ruft aus
auf Elly Ney
auf Elly Ney
Alle trinken auf Elly Ney
Bassist ruft aus
Ein langes Leben
unserer Elly Ney
unserer größten Klavierkünstlerin
trinkt sein Glas aus und geht zur Elly Ney und
hilft ihr aus dem Sessel und führt sie vorsichtig und
langsam an den Bösendorferflügel und man sieht,
daß Elly Ney eine Puppe ist, während er sagt
Unser größtes Vorbild
ist immer
die Elly Ney gewesen
PIANISTIN *hysterisch aufschreiend*
Mein größtes Vorbild
BASSIST
Wie Richard Mayr mein größtes Vorbild
TENOR
Wie Richard Tauber mein größtes
REGISSEUR
Wie Max Reinhardt mein größtes
SCHAUSPIELER
Wie Alexander Moissi mein Vorbild
SCHAUSPIELERIN
Wie Helene Thimig mein Vorbild
VERLEGER
Wie Samuel Fischer mein Vorbild

65

KAPELLMEISTER

Mein Vorbild war immer Toscanini

BASSIST *legt die Hände der Elly Ney auf die Klavier-*
tasten und sagt

Schumann

natürlich Schumann

VERLEGER

Schumann natürlich

PIANISTIN *pathetisch*

Eine Sternstunde

daß ich das noch erleben darf

Elly Ney spielt leise Schumanns

Fantasie opus 17

VERLEGER

Es ist

wie wenn Schumann selbst

mit den Händen der Elly Ney spielte

Das Genie Schumanns

mit den Händen der größten Klaviervirtuosin aller
Zeiten

REGISSEUR *zu Max Reinhardt*

Eine ergreifende Szene Herr Reinhardt

nicht wahr

VERLEGER

Wenn das Hofmannsthal sehen könnte

wenn Hofmannsthal das erleben könnte

SCHAUSPIELERIN *zu Helene Thimig*

Frau Thimig

ist das nicht der Höhepunkt

KAPELLMEISTER

Der Höhepunkt

SCHAUSPIELER

Absolut

VERLEGER *zu Lotte Lehmann*

Ganz wie sie es in Ihren Memoiren beschreiben

ein Jahrhundertbuch

ein Opus magnum

PIANISTIN

Ganz anders als Clara Haskill

SCHAUSPIELERIN

Schumann ist immer

meine große Liebe gewesen

Sopranistin kündigt sich polternd und laut schreiend an

BASSIST *erschrocken*

Die Gundi

Alle, während die Elly Ney

ungehindert weiterspielt,

erschrocken auf die Tür schauend

Die Gundi

SOPRANISTIN *mit halbvoller Champagnerflasche laut,*

drohend in der Tür

Wo ist sie

wo

wo denn

entdeckt die Lotte Lehmann am Tisch

Da sitzt sie ja

die Lotte Lehmann

Mein großes Vorbild Lotte Lehmann
lallend
Mein Vorbild
Lotte Lehmann
Die Marschallin
ruft aus
Die Marschallin
Da sitzt sie ja
geht auf die Lotte Lehmann zu und schlägt der
Lotte Lehmann die Champagnerflasche auf den
Kopf, der knallend auf die Tischplatte fällt und
schlägt mehrere Male mit der Champagnerflasche
auf den auf der Tischplatte liegenden Kopf der
Lotte Lehmann
Da hast du die Marschallin
da hast du die Marschallin
Alle zutiefst erschrocken, während die Elly Ney
gleichmäßig und ruhig weiterspielt
Sopranistin alle musternd
Was wartet ihr
was wartet ihr
schreit
Auf was wartet ihr
Die Berühmten
Ihr Scheusale
holt zu einem neuen Schlag gegen den Kopf der
Lotte Lehmann aus und ruft ermunternd
Schlagt doch zu
zuschlagen

schlagt zu
Erschlagt sie
eure Vorbilder
schlagt sie zusammen
zusammen
schlägt auf den Kopf der Lehmann und schreit
so
so
Schauspielerin nimmt einen großen Kerzenleuchter
vom Tisch und erschlägt damit wortlos die Helene
Thimig
Alle getrauen sich plötzlich, ihr Vorbild zu erschla-
gen
Zuschlagen
zuschlagen
schlagt zu
Los schlagt zu
schlägt auf den Kopf der Lotte Lehmann
Regisseur zieht blitzartig ein Messer und stößt es
Max Reinhardt in den Rücken
Tenor würgt und erwürgt den Richard Tauber,
gleichzeitig erschlägt der Kapellmeister mit einem
einzigen Faustschlag Toscanini
Verleger zieht eine Pistole und schießt Samuel Fi-
scher in das Genick
Pianistin springt auf und bekommt einen Schrei-
krampf und stürzt sich auf die immer noch gleich-
mäßig spielende Elly Ney und packt ihren Kopf
von hinten und schlägt ihn mit beiden Händen

mehrere Male auf den Bösendorferflügel, während
der

BASSIST *auf Richard Mayr schlägt und dann sagt*

Du Hund

Die Diener an der Wand, die Szene anstarrend
Bassist zum ersten Diener, ihn mit beiden Händen
am Hals packend
Kapellmeister zum zweiten Diener, ihn am Hals
packend

BASSIST

Weg mit den Zeugen

die Zeugen weg

Weg mit ihnen

Bassist und Kapellmeister würgen die Diener solan-
ge, bis sie zusammenbrechen
Verleger ist aufgesprungen und zur verschlossenen
Tür, dreht sich um und starrt auf die Szene, macht
dann ein paar Schritte zu Samuel Fischer zurück,
dessen Kopf auf der Tischplatte liegt und gibt ihm
noch einen Genickschuß

Vorhang

Die Perfidie der Künstler

Salon, große offene Terrasse
Die Vorbilder als Gemälde an den Wänden
Alle Schauspieler, jeder unter dem Portrait seines
Vorbildes, in Fauteuils
Erster und zweiter Diener treten ein

ERSTER DIENER

Es kommt Regen Herr Baron

BASSIST *mit umgehängtem Fernglas*

Regen

Achwas Regen

ZWEITER DIENER

Ein Gewitter

BASSIST

Ach was

ist doch der schönste Tag draußen

schaut hinaus

Diese Helligkeit

Windstille

Nichts rührt sich

in der Natur

nichts

ERSTER DIENER

Das ist es ja gerade Herr Baron

BASSIST

Achwas

zu den Andern
Immer diese Schwarzmacherei
Schon in aller Frühe
die Unkenrufe dieser Leute
steht auf und geht auf die Terrasse hinaus und
streckt den Zeigefinger in die Luft, ruft herein
Nichts
absolut nichts
Die Vorstellung findet statt
Ich habe mich selten geirrt
selten
Wenn sich jemand irrt
dann irren sich die Meteorologen
Die Meteorologen irren sich immer
Sagen die Meteorologen
es wird regnen
kann man sicher sein daß die Sonne scheint
Das ist Wahnsinn
auf die Meteorologen hören
zu den Dienern
Bringen Sie doch meinen Gästen
etwas zum Trinken
die sitzen ja alle ohne Getränke da
Ein so schöner Tag
und nichts zu trinken
das muß ja traurig stimmen
Also machen Sie schon
klatscht in die Hände und atmet tief ein
Sommerluft

beinahe schon Herbstluft
die Sommerluft
die beinahe schon die Herbstluft ist

KAPELLMEISTER

Wir sind alle ziemlich erschöpft
Sechs Konzerte in vier Tagen

BASSIST

Und erst die Gundi
geht zur Gundi und küßt sie auf die Stirn
Mein armes Kind
Aber jetzt
nichts wie weg
weg
Ortswechsel

SOPRANISTIN

Ich bin den Betrieb gewöhnt
Übermorgen ist alles vorbei

BASSIST

Noch die heutige Vorstellung
dann ist alles vorbei
An einem solchen herrlichen Tag
findet die Vorstellung natürlich statt
Ich hasse diese Freiluftopern

SOPRANISTIN

Palmen Zypressen Bauern Esel
sonst nichts
und vor den Fenstern die unendliche Weite des
Ozeans

BASSIST

Das wird dir gut tun Gundi
setzt sich
Wenn ich die Augen zumache
glaube ich
ich bin schon da
Meeresluft
Keine Oper
kein Operndirektor
keine Statisten
kein Publikum
zum Kapellmeister
Und Sie sind wieder in Sankt Moritz

KAPELLMEISTER

Heuer nicht
ich muß mich einer Rückgratoperation unterziehn

BASSIST

Ihr altes Leiden nicht wahr

KAPELLMEISTER

Einmal kriegen einen die Ärzte
Ein Zürcher Spezialist
Rückgratspezialist

VERL

In Zürich sind die Rückgratspezialisten zuhause

KAPELLMEISTER

Und die Nierenspezialisten

VERLEGER

Die Nierenspezialisten
und die Rückgratspezialisten

KAPELLMEISTER

Dann mache ich Plattenaufnahmen
Rheingold in Berlin
gleichzeitig Cosi in Paris
und gleichzeitig Maskenball in Chikago

SOPRANISTIN

Wenn das aufgeht

KAPELLMEISTER

Es wird ja tatsächlich
überall alles kaputtgemacht

SOPRANISTIN *zum Kapellmeister*

Haben Sie denn momentan Schmerzen

KAPELLMEISTER

Ich bin keinen Augenblick schmerzfrei
Der Arzt sagt
dirigieren sei Wahnsinn für mich

BASSIST

So deutlich habe ich die Berge
noch nie gesehn
zeigt hinaus
Sehen Sie
da
der Untersberg
jeder Felseinschnitt ist zu sehen
man meint man könne
die Bäume zählen
schaut durchs Fernglas
Mit dem Fernglas kann ich sehr gut
die Gemsen beobachten

stundenlang
dann sitze ich hier im Ohrensessel
ein Erbstück meiner Großmutter mütterlicherseits
und beobachte die Gemsen
dazu heißen Tee
dabei vergesse ich alles andere
Zu keiner Gelegenheit
regeneriere ich mich besser
als in Beobachtung der Gemsen
An diesem Platz leben zu können
ist ein Gottesgeschenk
Aber natürlich verdirbt eine solche schöne Gegend
den Verstand
Und das Genie wird in solcher Landschaft ver-
                                        stümmelt

nimmt das Fernglas ab
VERLEGER *mit geschlossenen Augen*
    Körper Seele Geist
    sind die Elemente der Welt
    wie Epos Lyra und Drama die des Gedichts
BASSIST
    Von Schopenhauer
    wenn ich nicht irre
VERLEGER
    Das sagt Novalis
BASSIST
    Natürlich Novalis
    natürlich
    steht auf und geht auf die Terrasse hinaus und

76

schaut durchs Fernglas
und nimmt das Fernglas
wieder ab
Bei einiger Anstrengung
ist es durchaus möglich
die Gemsen mit freiem Auge zu sehn
Da gehn Bauersleute
Ich kann Bauersleute am Fuß des Untersbergs sehn
Sie haben Rucksäcke
Stöcke und Rücksäcke
Zwei Marmorbrucharbeiter sehe ich
mit ihrem Werkzeug
Eine Gemse
streckt die Hand aus
und zeigt in die Ferne
Alle schauen hinaus
Da
da
die Gemse
da
jetzt ist sie weg
schaut wieder durchs Fernglas
Erster und zweiter Diener treten mit Getränken
ein und bedienen
Es ist schon ein Hochgefühl
jeden Morgen
die Milch von den Kühen vor dem Hause zu
                                          trinken
von völlig unverpatzten Kühen

eine vollkommen unverpatzte Milch trinken
und Käse und Brot dazu essen von den Bauern

                                    vor mir

atmet tief ein
Ich genieße diesen Zustand
die Lungenflügel brauchen diese Luft
die Lungenflügel von einem Bassisten
die gehn ohne diese Luft vor die Hunde
atmet tief ein
Es ist wie wenn ich mit jedem Atemzug
die ganze Natur einatmete
hebt den Zeigefinger in die Luft
Vollkommene Windstille
tritt in den Salon
zur Sopranistin
Ich bin sicher
die Vorstellung findet statt
Die Spekulation mit dem Unwetter
geht heute nicht auf
Ich hasse nichts so sehr
als diese Freiluftopern

KAPELLMEISTER

Die sind überall in Mode gekommen

BASSIST

Abgesehen davon
daß sich über die Freiluftmusik
streiten läßt
sie ist in jedem Fall minderwertig
der Wind zerzaust die Musik in der Luft

KAPELLMEISTER

Immer wieder nur der krankhafte Wille
originell sein zu wollen
Es gibt schon bald keinen Hinterhof mehr in dieser Stadt
in welchem nicht eine Oper aufgeführt wird

REGISSEUR

Im Freien ist es kein Kunstwerk

KAPELLMEISTER

Es hat sich eingebürgert
jeden Winkel der Stadt zu bespielen
Erster und zweiter Diener servieren Sandwiches

BASSIST *zum ersten Diener*

Was haben wir denn da
nachdem er sich ein Sandwich genommen hat
Die besten Sandwiches
die es gibt
von der Gräfin persönlich gemacht
jeden Tag frisch gemacht von der Gräfin

KAPELLMEISTER *nachdem er sich ein Sandwich genommen*
hat

Großartig

BASSIST

Eine Gewohnheit
am Nachmittag Lachssandwich
Lachssandwich am Nachmittag
Das war mein letzter Ochs gestern abend
Emmanuel List hat ihn fünfhundertmal gesungen
Ich habe den Ochs allein an der Metropolitan

einhundertdreißigmal gesungen
mit den berühmtesten Partnerinnen
Reining Schwarzkopf etcetera

KAPELLMEISTER

Bing sagte
Sie seien der beste Ochs gewesen
den er je an der Met gehört habe
Und Bing ist unbestechlich
der beste Operndirektor den es je gegeben hat
zum Verleger
Bings Memoiren sind ein Standardwerk
Verleger zuckt die Achseln
Kapellmeister zum Bassisten
Wenn man selbst ein Baron ist
ein echter Baron wie Sie
und den Ochs singt
das ist Authentik

REGISSEUR

Ein echter Baron
der noch dazu in allem dem wirklichen Ochs von
Lerchenau
der tatsächlichen historischen Figur
vollkommen und durch und durch verwandt ist

KAPELLMEISTER *zum Bassisten*

Tatsächlich ist es eine ganz und gar verblüffende
Ähnlichkeit
zwischen Ihnen Baron
und der historischen Figur

BASSIST

Es heißt ja
ich sei mit dem echten Lerchenau verwandt
aber bewiesen ist nichts
es heißt so
die Historiker sind sich nicht einig
Der Lerchenau war ja auch aus einer Bierbrauerfamilie
wie ich
der Lerchenau ist keine Erfindung Hofmannsthals
er ist echt historisch bewiesen durch und durch

KAPELLMEISTER *zum Bassisten*

Wie haben Sie denn diesen herrlichen Sommersitz
gefunden
Wann haben Sie sich hier angekauft

BASSIST

Neunundsechzig
Damals ging das noch
mit der Gage
für achtunddreißigmal Ochs an der Met
Ein Glücksfall
Aber vergessen Sie nicht
das Ganze war wie ich es gekauft habe
eine Ruine
eine Ruine
sinniert
Von Siepi weiß ich
daß er für einen einzigen Abend
zwanzigtausend Dollar bekommen hat

hier
in Salzburg
Die Direktion hat es ihm bar ausbezahlt
er hat es so verlangt
Der konnte leicht locker singen
Aber das war ja auch einmalig

REGISSEUR

Der bescheidene Künstler
ist ein Volksmärchen
Der große Künstler fordert
und er kann nicht genug fordern
denn seine Kunst ist absolut unbezahlbar
Es ist keine Summe zu hoch
um einen bedeutenden Künstler zu honorieren
ganz zu schweigen von den größten
von den bedeutendsten von den außerordentlich-
                                                    sten
von den berühmtesten
Der Staat jammert
Aber was ist der Staat ohne die Kunst
ohne die hohe Kunst
Dreck ganz einfach Dreck sonst nichts

VERLEGER *zitierend sinnierend*

Im Staat ist alles Schauhandlung
im Volk alles Schauspiel
Das Leben des Volkes ist ein Schauspiel

BASSIST

Man braucht nur einen Verleger im Haus haben
und sofort wird die Welt zur Geisteswelt

REGISSEUR

Der Staat existiert
aber er lebt nur durch seine Künstler

KAPELLMEISTER

Ein schönes Wort

REGISSEUR

Aber die politischen Dummköpfe
und die journalistischen Querulanten
begreifen das nicht
oder wollen es nicht begreifen

KAPELLMEISTER

Die politischen Dummköpfe begreifen nichts

REGISSEUR

Die Politiker die den Staat beherrschen
sind ganz eigentlich die Totengräber des Staates
Die Abgeordneten bringen den Staat um
das ist die Wahrheit
Das Volk wählt alle vier Jahre
seine Totengräber ins Parlament
es wählt brav Dummköpfe als Totengräber ins
Parlament
Die höchstbezahlten Totengräber
sitzen im Parlament

KAPELLMEISTER

Die Politiker sind von Natur aus
gegen die Künstler
eine lebenslängliche Feindschaft von innen heraus
müssen Sie wissen
Die Künstler durchschauen die Politiker

und durchschauen nichts als Dummköpfe
aufgeblähte Dummköpfe

VERLEGER

Aber die Macht haben die Politiker

REGISSEUR

Die Politiker haben die Macht
den Staat zu ruinieren
die Politiker ruinieren den Staat wer sonst
Jede dieser Kreaturen wird Politiker
um den Staat zu ruinieren
Das Parlament ist eine Mördergrube
eine Mördergrube
Wo ein Politiker auftritt
tritt ganz eigentlich ein Totengräber des Staates auf
Was die Künstler und die Wissenschaftler aufge-
baut haben
ruinieren die Politiker
Die Künstler erschaffen an jedem Tag die Welt
und die Politiker ruinieren sie

BASSIST

Ein wahres Wort

VERLEGER *zitiert*

Nur ein Künstler kann
den Sinn des Lebens erraten

BASSIST *zum Verleger*

Novalis nehme ich an

VERLEGER

Natürlich Novalis
wer sonst

BASSIST *durch das Fernglas schauend*

Diese stillen lautlosen Nachmittage
in welchen sich absolut nichts rührt
sind ganz für die Meditation
streckt die Beine aus
Die Beine ausstrecken
ganz ausstrecken
nimmt das Fernglas ab und schließt die Augen
und das Leben
oder die Existenz rekapitulieren
ein durch und durch mathematischer Vorgang
Und die Kunst
mit geschlossenen Augen
sich selbst Musik zu machen
alles spielen und singen lassen
das ganze Instrumentarium

REGISSEUR *mit geschlossenen Augen*

Das Schließen der Augen bewirkt oft
eine vollkommene Durchdringung der Welt
der ganzen Materie

VERLEGER *mit geschlossenen Augen*

Den Mut haben
alles zu durchdringen
das ganze Schauspiel

BASSIST

Von meinem Großvater
den ich wie keinen andern Menschen geliebt habe
und der mir zeitlebens der wichtigste Mensch
                                    geblieben ist

habe ich die Fähigkeit
mich von Zeit zu Zeit abzusetzen
von der Welt
Ich bin ganz einfach weg

SOPRANISTIN

Wenn er seinen Großvater nicht gehabt hätte
was wäre unser Freund für ein natürlicher Mensch

BASSIST

Das Talent
die Mathematik
die Physik
die Geophysik
die ganze Natur
von ihm

SOPRANISTIN

In unserem Haus am Meer
redet er selbst in der Nacht
von seinem Großvater

REGISSEUR

Er ist eben
aus einer durch und durch schöpferischen Familie

KAPELLMEISTER

Die Bierbrauerfamilien sind die schöpferischesten
Denken Sie nur an die Familie Strauss
oder an Richard Mayr
Beinahe alles dankt die Musikgeschichte
den Bierbrauern

BASSIST *steht auf und geht auf die Terrasse*
Da hätten sie mir voriges Jahr

beinahe ein Hochhaus hingebaut
Die Stadt hätten sie gerade hier
vor meinem Haus erweitert
Im letzten Augenblick habe ich
die Katastrophe verhindern können
Da waren schon Vermessungsleute da
dreht sich um
Ein Hochhaus stellen Sie sich vor
zweiundvierzig Stockwerke hoch
zwischen meinem Sommersitz und dem Untersberg
Noch heute wache ich oft auf in der Nacht
von diesem Alptraum
Ich war gerade an der Met
mein erster Jago mit der Freni
da schreibt mir der Hausmeister
daß ein Hochhaus gebaut werden soll vor meinen
                                        Fenstern
Sechs Wochen in New York festgehalten
und ununterbrochen
auch während meiner Auftritte die Vorstellung
vor meinen Fenstern wird ein zweiundvierzigstök-
                            kiges Hochhaus gebaut
bei meiner Rückkehr
habe ich alles verhindern können
zeigt hinaus
Ich habe den Bürgermeister
und das Stadtratskollegium bestechen können
auch den Bundeskanzler habe ich eingeschaltet
selbst den Bundespräsidenten

Ich habe die Festspieldirektion erpreßt
wenn das Hochhaus gebaut wird habe ich klar-
                                   gemacht
singe ich keinen Ton mehr
Das Hochhaus ist nicht gebaut worden
Da habe ich in aller Deutlichkeit gesehen
wie mächtig ein Künstler sein kann

KAPELLMEISTER
Was wären die Festspiele ohne Sie Herr Baron

REGISSEUR
Nur die Mittelmäßigkeit wäre möglich

BASSIST *plötzlich, durch das Fernglas schauend*
Da da
da
zeigt mit der Hand in die Ferne
Alle blicken hinaus, stehen auf und gehen auf die
Terrasse
Bassist in die Ferne zeigend
Der Adler
da dort der Adler
der Adler kreist
sehen Sie da
der Adler
Alle sehen den Adler

KAPELLMEISTER
Tatsächlich

REGISSEUR
Das ist ja ein riesiger Vogel

SCHAUSPIELER UND TENOR *gleichzeitig*
Der König der Lüfte
SCHAUSPIELERIN
Wirklich ein Adler
SOPRANISTIN
Daß es noch Adler gibt
VERLEGER
Zum erstenmal sehe ich
einen Adler
ich kannte den Adler bis jetzt nur
aus dem Naturgeschichtsbuch
Alle schauen zum Adler in die Höhe
BASSIST
Bei Windstille
kreist der Adler
vor dem Untersberg
hebt den Zeigefinger in die Luft
Windstille
absolute Windstille
KAPELLMEISTER
Wie deutlich man alles sieht
SCHAUSPIELERIN
Jeden Baum
SOPRANISTIN
Alles ist deutlich
REGISSEUR
Überdeutlich
BASSIST
Ich bin lange genug herumgefahren

um diesen Platz zu finden
zuerst habe ich daran gedacht
selbst zu bauen
aber dann
wegen meiner Verpflichtungen
habe ich mich entschlossen
ein altes Gebäude zu kaufen
Da habe ich dieses Schloß gefunden
Es war einmal fürsterzbischöflicher Besitz
aus dem achtzehnten Jahrhundert
allergrößte Tradition
der Besitz steht unter Denkmalschutz
blickt sich um
Und mit allen diesen Kunstwerken hier
die Sie sehen Kostbarkeiten
hat es mich nur eine durchschnittliche Halbjahres-
gage gekostet
Aber diese Zeiten sind jetzt vorüber

VERLEGER *zitierend*

Wer jetzt kein Haus hat

BASSIST

Unser Verleger
unser Zitator

KAPELLMEISTER

Ist das der einzige Adler
den es hier gibt

BASSIST

Der einzige
er zieht immer dieselben Kreise

REGISSEUR

Immer dieselben Kreise
wie der große Künstler
immer dieselben Kreise zieht

VERLEGER

Der wahre Künstler
ist immerfort Schöpfer einundderselben Kunst
Denken Sie nur an Mozart

KAPELLMEISTER

Zwei Takte und es ist Mozart
Oder Beethoven
es ist immer dasselbe
nur ganz leicht verändert

VERLEGER

In sich verändert
Diese Beobachtung machen Sie
an allen bedeutenden Künstlern
sie schaffen alle immer nur ein einziges Werk
und verändern es immer in sich ununterbrochen
unmerklich

REGISSEUR

Genau das ist ihre Größe

VERLEGER

Nur der Zweitrangige verändert sich ununterbrochen
offensichtlich
und hüpft einmal dahin und einmal dorthin
Das Genie ist immer dasselbe unnachgiebig

Unbeirrbar nach außen
unnachgiebig nach innen und nach außen

BASSIST

Wie ich das Schloß gekauft habe
habe ich von der Existenz des Adlers nichts

gewußt

daß hier ein Adler haust
Es ist mir von Anfang an klar gewesen
daß ich einen Landsitz haben muß
lange bevor es Mode geworden ist
auf dem Land zu leben
habe ich auf dem Land gelebt
jedenfalls sooft es mir möglich gewesen ist
Auch solche nicht umzubringende Lungenflügel

wie die meinigen

verkommen in der Großstadt
Der Baß schöpft abwechselnd die gute Luft auf

dem Land

und läßt seine Stimme in den großen Opernhäu-

sern der Welt verströmen

KAPELLMEISTER

Was für ein Panorama
Als ob es schon Geschichte wäre

BASSIST

Emmanuel List hat zu mir gesagt
gehen Sie das halbe Jahr auf das Land
und singen sie das andere halbe Jahr in der Groß-

stadt

um Geld zu scheffeln

Aber setzen wir uns doch wieder
Alle gehen in den Salon zurück und setzen sich

BASSIST

Am schönsten ist es hier
nach dem Ende der Festspiele
wenn der ganze Rummel vorbei ist
Wenn ich mit meinen Dienern allein bin
hier kann ich ungestört meine Partien einstudieren
aufundabgehen hier im Salon und auf der Terrasse
Die schwierigsten Partien ganz leicht in dieser

Umgebung

sehen Sie
zeigt auf die Gemälde der Vorbilder
Hier unter allen diesen Vorbildern an der Wand
zeigt auf das Portrait Richard Mayrs
Der bedeutendste Ochs
und der bedeutendste Bassist seiner Zeit
zeigt auf Lotte Lehmann
Lotte Lehmann
die größte Marschallin aller Zeiten
Berlinerin Deutsche
wie alle Wiener Opernlieblinge

REGISSEUR

Auch die großen Burgschauspieler
waren Deutsche

BASSIST

Auch unsere verehrte liebe und jüngste Kammer-
sängerin

ist Deutsche

93

wenn auch nicht aus Berlin
so doch aus Küstrin
zur Pianistin
Und unsere reizende Klaviervirtuosin
ist ja auch Deutsche
aus Mecklenburg
schaut auf die Terrasse hinaus
Dreizehn Millionen
hat man mir geboten
ein amerikanischer Millionär
wollte das Ganze absolut kaufen
Aber dieser Besitz ist unverkäuflich
Während der Adler über mir kreist
gehe ich im Marmorsteinbruch hin und her
und studiere meine Partie
oder ich spaziere an die Salzach hinunter

REGISSEUR

Diese Stadt hat ganz einfach
eine magische Anziehungskraft

VERLEGER

Magisch

KAPELLMEISTER

Es ist das Fluidum

BASSIST

Eigentlich habe ich
Schauspieler werden wollen
und ich habe ja auch mit der Schauspielerei ange-
fangen

auf dem Theater in der Josefstadt
Aber dann
REGISSEUR

Dann waren Sie ganz einfach zu intelligent
um sich als Schauspieler entwickeln zu können
Der Schauspieler hat intelligent zu sein
aber er darf nicht *zu* intelligent sein
Ist er
was er unter Umständen nicht verhindern kann
plötzlich
aufeinmal Wissenschaftler
ist er als Schauspieler nicht mehr gut genug
Der gute Schauspieler ist zeitlebens ein Naturtalent
verliert er sein natürliches Talent
sein Naturtalent
ist er als Schauspieler verloren
Dann versuchen Sie sich als Regisseure wie ich
Wenn der Schauspieler seine Unschuld verloren hat
versucht er sich als Regisseur
Die größten Schauspieler haben bis ins hohe Alter
ihre Unschuld nicht verloren
BASSIST

Die Schauspieler verachten die Opernsänger
und umgekehrt
gleichzeitig bewundern die Einen die Andern
SCHAUSPIELER

Ganz ohne Vorurteil hinein in einen poetischen
Text

95

wie in einen unbekannten Wald hinein
in eine solche geheimnisvolle Natur hinein
auf der Suche nach der Lichtung

REGISSEUR

Das ist eine ganz feine Charakterisierung
Wer die Natur aufgibt
entfernt sich auch von der Kunst
der hochkünstlerische Mensch ist ein ganz natürlicher
Das Genie kann nicht erklären was es ist
Wir hören und fühlen gleichzeitig
und von dem Einen mehr als von dem Andern

KAPELLMEISTER

Ganz früh habe ich Schauspieler werden wollen
aber mein Vater der Arzt
hat es nicht erlaubt
selbst daß ich mich für die Musik entschieden habe
hat er zeitlebens nicht überwinden können
Musik hat mein Vater immer gesagt
ist kein Hauptberuf
ist eine Nebenbeschäftigung
eine Nervenberuhigung

SCHAUSPIELER

Berühmt sein
das ist es

BASSIST

Alle die wir hier sitzen
sind berühmt

wir sind vielleicht sogar die Berühmtesten
wir *sind* die Berühmtesten

VERLEGER *zitiert*

Alles ist Zauberei
oder nichts
Vernunftmäßigkeit der Zauberei

BASSIST

Ein jeder von uns
hat das Höchste erreicht

ERSTER DIENER *eintretend*

Telefon Herr Baron

BASSIST *steht auf*

Entschuldigen Sie
geht hinaus

SOPRANISTIN *mit geschlossenen Augen*

Unter uns gesagt
eine Neuigkeit
die ich heute erfahren habe
Er ist zum Professor ernannt worden
Vom Bundespräsidenten zum Professor ernannt
Er darf es nicht wissen
Heute noch nicht
Er regt sich zu sehr auf
das ist die größte Überraschung
nach einer Pause
Alles hat er
aber Professor ist er noch nicht

KAPELLMEISTER

Ehrenhalber

REGISSEUR

Seit wann wissen Sie das

VERLEGER

Ehrenhalber

SOPRANISTIN

Seit gestern

REGISSEUR *zum Kapellmeister*

Sind Sie nicht schon vor drei Jahren

Professor geworden

SOPRANISTIN

Und wie ich weiß

ernennt ihn der Bürgermeister

zum Ehrenbürger

VERLEGER

Ehrenbürger dieser Stadt

die ihm so viele Höhepunkte verdankt

SOPRANISTIN

Aber bitte

nur unter dem Siegel der Verschwiegenheit

schaut auf das Portrait der Lotte Lehmann

Die Lotte Lehmann hat mir einmal gestanden

ihr größter Stolz sei es

schon mit fünfzig zum Professor ernannt worden

zu sein

ehrenhalber

TENOR

Ich bitte Sie

jeder bessere Mensch

ist in diesem Land Professor

VERLEGER

Professor ehrenhalber

SOPRANISTIN *legt den Zeigefinger auf den Mund*

Pssssst

BASSIST *kommt zurück*

Es war nur der Dachdecker

setzt sich und streckt die Beine aus

nach einer Pause

Die Leute werfen mir vor

das sei Luxus

Aber für einen weltberühmten Bassisten

Denken Sie an Reinhardt

der sich Leopoldskron gekauft hat

sinniert

Da auf der Terrasse sitzend

Milch trinkend Brot essend

mit einem guten Buch

zum Verleger

Ich bin ein guter Abnehmer Ihrer Erzeugnisse

Ich habe fast alle Ihre Veröffentlichungen gelesen

Joyce Heinrich Mann etcetera

Ich habe schon eine Ahnung von der Weltliteratur

KAPELLMEISTER

Das ist außergewöhnlich

daß ein Sänger

noch dazu ein Bassist

ein Vertrauter der Literatur ist

BASSIST

Denken Sie nur an Proust

Das muß man gelesen haben

Ich habe alles von Proust gelesen

zur Sopranistin

Die Gundi versorgt mich mit dem Wichtigsten

KAPELLMEISTER

Denken Sie an Walter an Nikisch

die haben alle viel gelesen

hochgebildete Leute

Schuricht zum Beispiel

BASSIST

Die Unbildung ist eine Voraussetzung

für den Sänger wird gesagt

VERLEGER

Aber die Ausnahme bestätigt die Regel

REGISSEUR

Alle kochen mit Wasser

Es wird dunkel

Ganz zu schweigen von den Theaterdirektoren

die gebildeteren sind zweifellos die Operndirekto-
ren

Nichts fürchten die Schauspieldirektoren mehr

als wenn man sie in ein literarisches Gespräch ver-
wickelt

und die Dramaturgen sind insgesamt Dummköpfe

VERLEGER

Die Statistik beweist

daß die Theaterdirektoren im Jahr

nur drei oder vier Bücher lesen

ein Buch auf ein Vierteljahr
das beweist die Statistik

BASSIST

und unter diesen drei Büchern
zuerst das Kursbuch und das Grundbuch
Manchmal schicke ich die Dienerschaft weg
dann bin ich allein mit der Gundi
wir lesen jeder ein Buch
und machen Pläne
Am Abend den Geruch des Moores unten auf der
Terrasse

Es fängt leicht
zu regnen an
und einen guten Aphorismus
auf der Zunge zergehen lassen
zum Verleger direkt
sei es ein Aphorismus von Novalis
oder von Schopenhauer
Die deutsche Philosophie
ist eine unendliche Fundgrube für einen denkenden
Menschen

Und die Gundi kocht
Sie können sich gar nicht vorstellen
was das heißt
angekommen aus New York
und hinein in die Lederhose
ein kleiner Spaziergang ein bißchen Gartenarbeit
Der Kontrast ist es
der mich am Leben hält der Kontrast

REGISSEUR

Alles ist der Kontrast

KAPELLMEISTER

Der Kontrast ist alles

BASSIST *zur Pianistin*

Ab und zu ein Besuch im Hause unserer Pianistin
ich klopfe an ihr Fenster
ein bißchen Schumann ein bißchen Romantik wis-
                                        sen Sie

Die Welt ist hier alles in allem
eine recht schöne angenehme Natur
schaut auf die Terrasse hinaus
Es überzieht sich

VERLEGER

Ich bringe im Herbst ein Buch heraus
von einem amerikanischen Professor
der in Wirklichkeit Wiener ist
Eine phänomenale Schrift
Die ganze Zeit denke ich jetzt schon
wer von uns welcher Charakter ist
nach Sontheimer
so der Name des Wissenschaftlers
Ein Opus magnum
es ist alles sehr schlüssig in diesem Buch
das ich in einer Startauflage von achtzigtausend
                                        herausbringe
Die Leute lesen heute solche Erkenntnisse
Bassist nimmt das Fernglas und schaut bis zum
Ende der Szene unbeweglich hinaus

Mit diesem Werk
das als ein Opus magnum bezeichnet werden muß
wird die Reihe Geschlecht und Charakter fortge-
setzt
Übrigens hat mich Weininger auf die Idee gebracht
diese Reihe ganz einfach mit Geschlecht und
Charakter zu bezeichnen
Weininger war wie alle großen Charakterforscher
Wiener
Freud Weininger Sie wissen wovon ich rede
zum Bassisten
Als unser Gastgeber vorhin auf die Terrasse hin-
austrat
um uns den Adler zu zeigen
habe ich gedacht daß wir auch einen Adler unter
uns haben
oder jedenfalls einen Hahn
einen Hahn hören Sie
Hahn oder Adler
und eine Reihe anderer Tiergeschöpfe
denn auf jeden von uns paßt ein Tiergeschöpf
Da saß ich und dachte die ganze Zeit
wer unter uns was für ein Tier ist im Grunde
Es ist ein Buch das mehr Aufschluß gibt über die
Menschen
als je ein anderes
Freud war durchaus nur eine Vorstufe
die ganze bisherige Geschlechts- und Charakter-
forschung nur eine Vorstufe

Wenn ich Ihnen allen jetzt sagte
Stark einsetzender Regen
welchen Tierkopf Sie aufhaben
Noch stärkerer Regen
Sie müssen sich das Buch kaufen
Trieb und Raum
haben viel Ähnlichkeit
sagt Novalis
Es wird einer unserer allergrößten Verkaufserfolge
Noch stärkerer Regen

ERSTER DIENER

Es regnet Herr Baron

SOPRANISTIN *entzückt*

Es regnet

BASSIST

Es schüttet ja

PIANISTIN

Wie es schüttet
Starker Donner

REGISSEUR

Die Meteorologen haben recht

BASSIST

Manchmal haben die Meteorologen recht
Noch stärkerer Donner

Vorhang

ZWEITE SZENE
Die Offenbarung der Künstler

Halle
Alle mit Tierköpfen, angeheitert, um den runden
Tisch sitzend, essend, trinkend
Die Diener mit Rattenköpfen servieren

BASSIST *mit Ochsenkopf*
Dann ist er Hofrat geworden
Hofrat
stellen Sie sich vor Hofrat
und Mozartinterpret dazu
ein ausgesprochener Festspielkünstler
Alle lachen
KAPELLMEISTER *mit Hahnenkopf*
Eine Meisterklasse
an der Akademie als Ausgedinge
VERLEGER *mit Fuchskopf zum Kapellmeister*
Verehrtester
ist es nicht so
daß die Künstler
die Stiefkinder der Gesellschaft sind
Die Stiefkinder
BASSIST
Nehmen Sie sich doch
nehmen Sie
es ist alles da

alles ist da
alles

VERLEGER

Wissen Sie Böhm
nicht alles was Böhm macht
ist hervorragend

KAPELLMEISTER

Die außerordentlichsten Talente
sind die indischen
Ich habe einen Burmesen als Schüler
ein Genie sage ich Ihnen
Überhaupt ist Asien
ein ungeheures Talentreservoir
ganz ungewöhnliche musikalische Begabungen
sage ich Ihnen
der ganze Orient ist noch unentdeckt

BASSIST *zur Schauspielerin mit Kuhkopf*

Nehmen Sie sich doch
nehmen Sie
greifen Sie zu
klatscht die Diener herbei
Und im richtigen Moment
die Mehlspeisen
zur Pianistin mit Ziegenkopf
Das waren noch Zeiten
wie die Clara Haskill
auf Ihrem Platz gesessen ist
Auf diesem Sessel hat sie immer gegen neun
Ihren Migräneanfall bekommen

KAPELLMEISTER

Die Katastrophe der Instrumentalisten
ist ihre Krankheitsanfälligkeit
immer ist es irgendeine Krankheit
die sie an der totalen Ausübung
ich sage totalen Ausübung ihrer Kunst hindert
Um wievieles besser wäre beispielsweise Arrau
wenn er nicht immer diese Nackenschmerzen hätte

BASSIST *lachend*

Die Pianisten
vornehmlich die Pianistinnen
bekommen Fingerkrämpfe
Die Cellisten Gelenksentzündungen

VERLEGER

Und die Geiger wie ich weiß
haben es im Ellenbogen

KAPELLMEISTER

Ganz recht
im Ellenbogen

TENOR *lacht auf*

Im Ellenbogen

BASSIST

Was sie im Geigenbogen nicht haben
haben sie im Ellenbogen

KAPELLMEISTER

Und die Kapellmeister
haben es im Rückgrat

BASSIST

Die Sänger haben es in der Lunge

und wenn nicht in der Lunge
so direkt im Hals
reißt seinen Mund weit auf
Sehen Sie
zeigt in seinen Rachen hinein
Da an der Basis
da
Das sogenannte Gold in der Kehle
ist oft nichts anderes
als der Kehlkopfkrebs
klatscht die Diener herbei
Was gibt es denn zur Nachspeise

ERSTER DIENER

Eis Herr Baron

BASSIST

Eis
für mich kein Eis
Eis wo wir fast lauter Stimmbandkünstler sind
Stimmbandkünstler

REGISSEUR

Eine ausgezeichnete Bezeichnung
für die Sänger und Schauspieler
Stimmbandkünstler
Stimmbandkünstler

BASSIST

Eis für die Stimmbandkünstler
Bringen Sie Eis
Tragen Sie Eis auf
viel Eis

Die Damen essen gern Eis
nicht wahr

ZWEITER DIENER

Und Topfenstrudel

BASSIST

Meine Herrschaften
Topfenstrudel
Topfenstrudel
von der Gräfin persönlich gemacht
mit ihren eigenen Händen gemacht der Topfenstrudel

KAPELLMEISTER

Also ein gräflicher Topfenstrudel
Diener wieder weg vom Tisch

BASSIST

Es ist erwiesen
daß Schaljapin
jeden Tag Eis gegessen hat
Caruso wiederum hat einer Portion Eis wegen
die er einmal auf dem Wiener Naschmarkt gegessen hat
ein Jahr pausieren müssen
und das auf dem Höhepunkt seiner Karriere

REGISSEUR

Es wird behauptet
er sei an dieser Eisportion gestorben
indirekt

BASSIST

Eis ist der Feind

des Sängers
zur Pianistin
Meine Liebe
wie geht es denn Ihrem linken Bein
zu den Andern
Sie kann kein Pedal treten
Sie spielt schon wochenlang ohne Pedal
Sie hat unserem verehrten Claudio Arrau
nachgegeben
und ist mit ihm ins Engadin
prompt hat sie sich das Bein gebrochen beim Schifahren

REGISSEUR

Schifahren ist der Feind der Bühnenkünstler

KAPELLMEISTER

Wem sagen Sie das
wem sagen Sie das
Wo es doch nichts stumpfsinnigeres gibt als Schifahren
ein Massenwahnsinn das Schifahren
ein Massenwahnsinn
aber alles pilgert mit den Schiern auf dem Rücken
in die Berge
um sich die Beine zu brechen

PIANISTIN

Die Schwierigkeit ist
dann nicht aus der Übung zu kommen

KAPELLMEISTER

Alles kann man schließlich

nicht ohne Pedal spielen
So sind Sie also jetzt schon die längste Zeit
eine Pedallose
Alle lachen

BASSIST

Hoffen wir Ihre Pedallosigkeit
hält nicht solange an

KAPELLMEISTER

Gerade sie ist berühmt
für ihr Pedal

BASSIST

Wir halten Ihnen die Daumen
alle Daumen
ganz fest
Regisseur hebt die rechte Hand und hält der Pianistin den Daumen

BASSIST

Dem Künstler müssen alle immer Daumen halten
ununterbrochen Daumenhalten
Daumenhalten
bricht in Gelächter aus
Daumenhalten

SOPRANISTIN *mit Katzenkopf*

Die Beine der Pianistin
sind wenigstens so wichtig
wie ihre Finger
Die Diener servieren Topfenstrudel

BASSIST

Der wahre Künstler

ist fortwährend in Konflikt
mit seiner Kunst

VERLEGER *zitierend*

Echt tätige Menschen sind die
die Schwierigkeiten reizen

BASSIST

Ein wahres Wort
Der echte Künstler geht den Weg
den sonst niemand geht
den allerschwierigsten

SCHAUSPIELER *mit Hundekopf*

Er ist fortwährend
in einer Konfliktsituation

BASSIST

Da ist es nur recht und billig
daß er sich dafür gut bezahlen läßt
Aber die Steuer frißt ja alles
alles frißt die Steuer
Wenn ich Ihnen sage was mir die Steuer
allein im letzten Jahr abgenommen hat
Wenn es hoch kommt ein Zehntel
das mir bleibt
So ist es ganz natürlich
daß die Forderungen der Künstler
ins Gigantische steigen

REGISSEUR

Der Künstler ist der ideale Künstler
wenn er auch ein guter Geschäftsmann ist
denn sonst geht er ja alle Augenblicke

unweigerlich in die Falle
Die Opernhäuser sind Fallen

BASSIST

in die die Künstler hineingehen
überhaupt alle großen Theater
Wer das weiß sichert sich ab
durch horrende Forderungen
Emmanuel List hat einmal zu mir gesagt
fordern Sie immer dreimal die Höchstsumme
das heißt mindestens immer dreimal so viel
wie Ihr Vorgänger bekommen hat
Also habe ich wie ich an der Met den Ochs gesun-
                               gen habe
dreimal soviel verlangt wie List
dreimal soviel wie List
und List hat die Höchstsumme bekommen
die höchste Summe die jemals an der Met bezahlt
                               worden ist
Der teuerste Ochs
der je an der Met gesungen hat

REGISSEUR

Die Direktionen versuchen mit allen Mitteln
die Künstler zu drücken
die Künstler wiederum sind von den Erpressungen
der Direktoren
eingeschüchtert

BASSIST

Tatsächlich kann Singen in der Oper
ein großes Geschäft sein

Die Direktoren geben nach
sie bezahlen die geforderte Summe
Die Direktoren erpressen die Künstler
warum erpressen nicht auch die Künstler die .

                                        Direktoren
Die Künstler müssen sich schadlos halten
Die Theater insbesondere die Opernhäuser
werfen Millionen zum Fenster hinaus alljährlich
Die Gesangskunst ist noch niemals so hoch
im Kurs gestanden
Meine Taktik die verdanke ich List
Aber dieser Idealzustand
geht seinem Ende zu
bald werden die Hähne zugedreht
Jetzt heißt es herausholen
was noch herauszuholen ist
trinkt sein Glas aus, es wird ihm sofort nachge-
schenkt
zum Kapellmeister
Mein Verehrtester
gegen Sie bin ich nur ein kleiner Fisch
schaut sich um
Das bißchen Luxus
wenn ich mir das bißchen Luxus nicht mehr leisten
                                        kann
List hat über Nacht aufgehört
nicht weil ihm die Ärzte empfohlen hätten
aufzuhören
List wollte ganz einfach nicht mehr

plötzlich ist ihm die ganze Singerei zum Hals her-
ausgewachsen
im wahrsten Sinne des Wortes zum Hals heraus-
gewachsen

Ohne Ankündigung aus
nichts mehr
ab von der Bühne

KAPELLMEISTER

List hatte einen sehr hohen Intelligenzgrad
Ich erinnere mich
wie ich einmal mit List in Coventgarden
Fidelio gemacht habe
mit der Helena Braun und mit Frantz
plötzlich
vor der großen Arie

BASSIST

Die Sie nicht wie das üblich ist gestrichen haben

KAPELLMEISTER

Nein niemals
ich streiche die Arie nicht niemals
plötzlich vor der großen Arie

BASSIST *markiert*

Hat man nicht auch Gold beineben

KAPELLMEISTER

Ja sehr schön sehr schön

BASSIST

plötzlich war seine Stimme weg nicht wahr
ich weiß

markiert
Traurig schleppt sich fort
das Leben
KAPELLMEISTER *zum Bassisten*
Mit Ihnen hätte ich gern Fidelio gemacht
aber es ist nicht dazu gekommen
BASSIST
Schade
sehr schade
Aber vielleicht ergibt sich noch die Gelegenheit
KAPELLMEISTER
Die Vorstellung mußte abgebrochen werden
Aber als ich zu List in die Garderobe gegangen bin
um mich zu erkundigen
sagte mir List
die Stimme sei wieder da
lachend sagte mir List
jetzt sei seine Stimme wieder da lachend
verstehen Sie lachend
Aber da war dann das Publikum schon weg
REGISSEUR
Ein medizinisches Phänomen
KAPELLMEISTER
Urplötzlich weg die Stimme
urplötzlich wieder da
List führte alles darauf zurück
daß er am Vortag eine Beruhigungstablette ge-
                                nommen hatte
es war der Tag an dem List geadelt worden ist

übrigens mit Bing zusammen
vor dieser Zeremonie im Buckinghampalast
Die Ärzte bestritten diesen Zusammenhang

VERLEGER

Die Ärzte bestreiten jeden Zusammenhang
zitierend
Die Arzneikunst sagt Novalis
ist allerdings die Kunst
zu töten

BASSIST *zum Tenor*

Herr Kollege
Kennen Sie das denn auch
daß die Stimme plötzlich weg ist
und plötzlich wieder da ist

TENOR *stimmlos auf seinen Kehlkopf deutend, heiser*

Ich habe heute keine Stimme
verkühlt
vielleicht verkühlt
vielleicht
ich weiß es nicht

BASSIST

Dann dürfen Sie doch kein Eis essen
das ist ja verrückt
Hat am Abend zu singen
und ißt Eis
ruft aus
Das ist eine Verrücktheit
eine komplette Verrücktheit
zum ersten Diener

Nehmen Sie dem Herrn Kammersänger das Eis
weg

Nehmen Sie es ihm weg
Das ist ja total verrückt
Eine Verrücktheit
Schauspielerin lacht laut auf
Pianistin lacht auf
Alle brechen in Gelächter aus,
während der erste Diener
dem Tenor das Eis wegnimmt
BASSIST *zum Tenor*
Nehmen Sie von dem Topfenstrudel Herr Kollege
der ist stimmbandfreundlich
Essen Sie
essen Sie
zu den Andern
Er ist ein Routinier
aber ohne Stimme kann der größte Routinier nicht
singen

zum Tenor
Essen Sie denn oft Eis
Tenor schüttelt den Kopf
Denken Sie an Caruso
denken Sie an Caruso
zu den Andern
Die jungen Leute denken
sich alles leisten zu können
Die Diener
servieren Kaffee

Die jungen Künstler
hängen alle an einem Faden

REGISSEUR

Was rede ich auf sie ein
alle diese hochtalentierten Schauspieler

BASSIST

Nehmen Sie sich meine Herrschaften
nehmen Sie sich

REGISSEUR

mit welchen ich meine Stücke einstudiere
gehen mit ihren Talenten auf das Unsinnigste um
die einen versaufen
die andern verhuren sich
und die talentiertesten versaufen und verhuren sich
am totalsten
Da glaube ich
da ist ein Talent
mit diesem Talent kann ich Homburg machen
oder Hamlet
und dann stellt sich heraus
daß auf der Probe ein Wrack ist
Mit einem Wrack kann ich weder Homburg
noch Hamlet machen
Die Begabtesten hängen sich irgendeiner mittelmäßigen Schlampe an
die für die Vorstadtbühne noch viel zu schlecht ist
und ruinieren sich in der kürzesten Zeit
Nicht einmal das Genie ist davor gefeit

an einer solchen Schlampe zugrunde zu gehen
Da höre ich eine herrliche Stimme und ich schwöre
                                                    mir
mit dieser Stimme
zu welcher dieser ganz und gar außerordentlich
                schöne und begabte Mensch gehört
studiere ich den Hamlet ein
und ein halbes Jahr später kommt eine Ruine
auf die Verständigungsprobe
Das ist Wahnsinn was alle diese jungen Leute

KAPELLMEISTER

Ist man einmal vierzig
ist man hinübergerettet
dann hängt man nicht mehr an einem Faden

BASSIST

Sie meinen
dann hängt man schon
an einem Kälberstrick

SOPRANISTIN *rügend*

Aber aber

BASSIST

Die jungen Leute
werden von ihren skrupellosen Lehrern
von allen diesen skrupellosen Gesangslehrern
in den Fleischwolf hineingestoßen
alle diese Opernhäuser sind
ein einziger gigantischer melodramatischer
                                        Fleischwolf

REGISSEUR

Die Künstler sind die anfälligsten
eine kleine Halsentzündung
wirft eine ganze Opernsaison über den Haufen

KAPELLMEISTER

Da haben Sie recht
Bing hat mir einmal erzählt
wie er glücklich gewesen ist
nach drei Jahren Vorbereitung
seine allerbeste Saison starten zu können
da hatte es plötzlich
am Abend der ersten Vorstellung
die Nielsson im Hals
und die ganze Saison ist zusammengebrochen
ein solches Mißgeschick bringt eine ganze Opernsaison zum Einsturz

BASSIST

Mir ist es einmal passiert
daß ich eine Vorstellung geschmissen habe
Das hat Schlagzeilen gemacht
Ich hätte in Paris den Ochs singen sollen
während ich gleichzeitig völlig ahnungslos
in Venedig im Cavaletto gesessen bin
Edelmann ist für mich eingesprungen
Das habe ich ihm nie vergessen
Aber man muß schon weltberühmt sein
um sich so etwas leisten zu können
In der Pariser Oper den Ochs
und darauf vergessen

lacht laut auf, ruft
Diener Diener
zu den Andern
Eine Delikatesse
sich von Ratten bedienen zu lassen
zum Kapellmeister
Unter uns
die ganze Zeit glaube ich
wir alle sind Tiere
Ich sitze einem Hahn gegenüber glaube ich
als ob Sie einen Hahnenkopf aufhätten
Und die Gundi hat einen Katzenkopf auf
einen richtigen Katzenkopf
lacht auf
Und unsere Pianistin einen Ziegenkopf
einen Ziegenkopf
lacht auf, dann zum Verleger
Schlauer Fuchs
zu den Andern
Sie sind mir nicht böse
daß ich nicht sage
als was alles ich Sie jetzt sehe
VERLEGER *mit erhobenem Zeigefinger zitierend*
Bestandteile eines Märchens
Abstraktion schwächt
Reduktion stärkt
BASSIST *zu den Dienern*
Nun schenken Sie uns den Champagner ein
Diener holen Champagnerflaschen

und öffnen sie
Hier wird Champagner getrunken
kein Sekt
Champagner
Champagner
Ich bin kein Sektierer
schaut um sich, niemand lacht
Der Champagner macht alles erträglich
schaut in die Runde
Alle brechen in lautes Gelächter aus,
das augenblicklich abbricht,
wie der erste Pfropfen knallt
Die Ratten schenken Champagner ein
Die Ratten schenken Champagner ein
trinkt
Eine Delikatesse
Alle trinken
Bassist zur Sopranistin
Miau
miau
bellt den Tenor an
grunzt gegen den Regisseur
meckert gegen die Pianistin
muht gegen die Schauspielerin
hebt sein Glas
Auf die Direktion
auf die Direktion
ALLE *heben ihr Glas*
Auf den Präsidenten

Auf den Festspielpräsidenten
Er lebe
hoch
Alle durcheinander
Hoch
hoch
hoch

BASSIST

Ein originaler Tropfen
Nun was sagen Sie

KAPELLMEISTER

Exzellent

REGISSEUR

Exzellent

TENOR

Exzellent

VERLEGER

Phänomenal
Ich glaube Sie alle
sind heute durchaus internationale Figuren
auf dem Höhepunkt der Internationalität Ihres
                                        Ruhmes

BASSIST *ruft aus*

Fabelhaft
das ist fabelhaft
eine ganz und gar ausgezeichnete Formulierung

REGISSEUR

Unser Herr Verleger
ist eine stilistische Fundgrube

alles was er sagt
ist ein Zitat
Er ist ein Zitator
hebt das Glas und ruft aus
Auf den Zitator
auf unseren Zitator
hebt das Glas höher
ALLE *heben ihre Gläser und rufen*
Auf unseren Zitator

REGISSEUR

Von der Berühmtheit geht
die größte Faszination aus
man kann sagen
von diesem Tisch hier
Der Opernkünstler
ist der eigentliche Herrscher der Kunstgesellschaft
und der Bassist an sich
ist ihr König
hebt das Glas, alle ermunternd
Auf den König aller Opernkünstler
Auf den König der Oper
Alle heben ihr Glas und trinken es aus
Die Diener schenken ein

BASSIST

Aber was es mich gekostet hat
zu werden
was ich bin
Der junge Mensch glaubt ja nicht
daß er den Gipfel erreicht

er glaubt es solange nicht
bis er den Gipfel erreicht hat

KAPELLMEISTER

Sie sind ja heute zweifellos
auf dem Gipfel Herr Baron

REGISSEUR

Die berühmteste Opernfigur
die allerberühmteste

KAPELLMEISTER

Ich erinnere mich noch
an Ihren ersten Abend Baron
ich hatte das Glück
diese Vorstellung zu dirigieren
Ein völlig unbekannter Sänger
betritt die Bühne
meine Angst war die größte
Das können Sie sich vorstellen
denn der junge Mann war ein völlig unbeschriebe-
nes Blatt

Es ist ja doch eine Zumutung
einem hochberühmten Kapellmeister
einen völlig unbekannten Sänger unterzuschieben
im letzten Moment
nur damit die Vorstellung gerettet ist

REGISSEUR

Ein Verbrechen der Direktion

KAPELLMEISTER

Ein Verbrechen der Direktion allerdings
Und nicht einmal eine einzige Probe

stellen Sie sich vor
nicht eine einzige Probe
Aber da sang plötzlich ein Figaro
wie ich noch nie einen singen gehört habe
zum Bassisten
das war der Anfang Ihrer Karriere
der Anfang Ihres Ruhms Herr Baron
BASSIST *zum Kapellmeister*
Ein Glück meine Herrschaften
an den Größten seiner Zeit zu kommen
um selbst groß zu werden
VERLEGER
Da kann der Verleger
nur Zaungast sein
Zaungast
Zaungast
BASSIST
Haben Sie das gehört
Zaungast Zaungast
hebt sein Glas und sagt
Trinken wir auf den Zaungast
auf unseren Zaungast
auf unseren Verleger als Zaungast
VERLEGER
Absolut
absolut ein Zaungast der Künste
Alle heben ihr Glas und trinken es aus

BASSIST

Wo ein solcher wie der Verleger
es doch die meiste Zeit
mit den wahren Schöpfungsspezialisten zu tun hat
mit der absolut hohen Kunst
als welche ich die Dichtung bezeichnen möchte
zum Verleger direkt, während ihm sein Glas einge-
schenkt wird
Ein ganzer Kopf voller Dichtung
die ganze poetische Geschichte in einem einzigen
Kopf
Ich frage mich
wie kann das ein Mensch aushalten
daß einem solchen der Kopf doch
von einem Augenblick auf den andern
explodieren müsse denke ich
Alle diese Tausende und Hunderttausende von
Werken
in einem einzigen Kopf
Das wäre doch nichts für mich
zu den Dienern plötzlich in die Hände klatschend
Die Diener öffnen Champagnerflaschen
Bassist befehlend
Champagner meine Herrschaften
Champagner Ihr Ratten

VERLEGER

Die Dichtung
ist dem interpretierenden Volk
unerreichbar

BASSIST *mit beiden Fäusten auf die Tischplatte schlagend*
    Champagner
    Champagner
    Champagner

    Vorhang

Die Stimmen der Künstler

Alle wie in der vorangegangenen Szene mit ihren
sich mehr und mehr steigernden, bald unerträglich
lauten Tierstimmen aus vielen Lautsprechern von
allen Seiten aufstehend von ihren Sesseln und sich
zutrinkend und über allen diesen Tierstimmen das
dreimalige schneidende Kikeriki des Hahns.

Ende

Bibliothek Suhrkamp

Alphabetisches Verzeichnis